GRANDES NOVELISTAS

Zoé Valdés

LA HIJA DEL EMBAJADOR

Zoé Valdés

LA HIJA DEL EMBAJADOR

EMECÉ EDITORES

860(729.1)   Valdés, Zoé
VAL   La hija del embajador. - 2a ed. - Buenos Aires :
             Emecé, 1999.
             96 p. ; 22x14 cm. - (Grandes novelistas)

             ISBN 950-04-1951-3

             I. Título - 1. Narrativa Cubana

Diseño de tapa: *Eduardo Ruiz*
Foto de tapa: *Four by Five*
Fotocromía de tapa: *Moon Patrol S.R.L.*
Copyright © Actes Sud, 1996
© *Emecé Editores S.A., 1996*
Alsina 2062 - Buenos Aires, Argentina
2ª impresión: 2.000 ejemplares
Impreso en Leograf & Compañía S.R.L.,
Armenia 253, Valentín Alsina, abril de 1999

E-mail: editorial@emece.com.ar
http: // www.emece.com.ar

IMPRESO EN LA ARGENTINA / PRINTED IN ARGENTINA
Queda hecho el depósito que previene la ley 11.723
I.S.B.N.: 950-04-1951-3
9.036

A Ricardo y a Luna, conmigo en la distancia

No existe un momento del día
en que pueda apartarte de mí,
el mundo parece distinto
cuando no estás junto a mí.

No hay bella melodía
en que no surjas tú,
ni yo quiero escucharla
cuando me faltas tú.

Es que te has convertido
en parte de mi alma
ya nada me conforma
si no estás tu también.

Más allá de tus labios,
el sol y las estrellas,
contigo en la distancia, amada mía, estoy.

César Portillo de la Luz, «Contigo en la distancia»
(casi variación)

Joven Rey Tut-Ank-Amen, muerto a los diecinueve años: déjame decirte estas locuras que acaso nunca te dijo nadie, déjame decírtelas en esta soledad de mi cuarto de hotel, en esta frialdad de las paredes compartidas con extraños, más frías que las paredes de la tumba que no quisiste compartir con nadie. A ti las digo, Rey adolescente, también quedado para siempre de perfil en su juventud inmóvil, en su gracia cristalizada... Quedado en aquel gesto que prohibía sacrificar palomas inocentes, en el templo del terrible Ammon-Ra. Así te seguiré viendo cuando me vaya lejos, erguido frente a los sacerdotes recelosos, entre una leve fuga de alas blancas...

Dulce María Loynaz, «Carta de amor a Tut-Ank-Amen»

Se aventajaba en edad a sí misma porque pensaba constantemente, por eso era tan fracaso para todo. Mientras su amiga quería largarse del país ella quería abandonar el mundo. Hacer las maletas constituía un peligro. Regresaría malherida, estaba segura. Sin embargo aquella noche hizo las valijas. Amontonó cuanto poseía, sin orden. También el vendaje para su cráneo. El día antes una teja había rajado su cabeza. Sangró debajo del aguacero, le dieron siete puntos.

La idea de la sangre podía convertirla en asesina potencial. Tanto pensar en ella brindaba burbujeantes cadáveres enterrados en copas venecianas. Era raro tener la mente abierta a la sangre. Era culpa del destino: fijarlo con letanía era la peor elección. Lo grande no era provocarlo, sino saber desplazarlo cuando conviniera.

El reguero de la habitación era el único lugar donde se ponía el sol. Le agradaría un beso y estar hasta el último pelo del otoño. La televisión era el escondrijo del progreso. Ella se desmayaba ante la imagen televisiva, era una agresión, un mazazo en el páncreas.

Ellos, los amigos, regresaron a sus secretos. Detrás quedaron barrios y temblores. Las ambulancias. Ella había querido ser aviadora, y había devenido alcohólica empedernida. Besos amoratados y el champán salpicaba los tejidos dorados de los salones. Ella era capaz de caer enferma por haber templado o singado con demasiada premura. Ella extrañaba los sitios donde estuvo, donde siempre estará. Donde no está. Ella no vivía el presente. Ella sentía el pasado masculinamente y husmeaba el futuro como un efebo ante su maestro de filosofía.

Dormía en las piscinas distantes. ¿Por qué llevaba un nombre apocalíptico? ¿Por qué sólo ella escuchaba los navajazos de los destripadores? En las azoteas los maniáticos degollaban muñecas. Ella conspiraba para salvar a sus amigos. Las pandillas tenían el filo polvoriento de las drogas.

Su rostro ceremonioso de bienvenidas daba náuseas. Tenía un claxon esperanzador en la sonrisa. Acariciaba la tiesura como la chacala de los cuentos. Tenía colmillos de chacala desvestida. Era la mayor de un hermano sacrificado. Única hija por destino y silencio. Se acostumbraba a su presencia incluso en el odio de sí misma.

Cada mañana rehacía las maletas, invadida por loca predilección de guardar y guardar papeles. Mientras más documentos almacenaba, más desordenaba los recuerdos.

Así no se llegaba a ninguna parte. A Europa no se llega en taxi. Claro que no. El pasaporte de la abuela irlandesa traería buena suerte, el del abuelo chino daría paciencia, el del abuelo gallego tal vez algún día la salvaría, su abuela negra nunca había tenido pasaporte. Metió un fino espejito para retocar el *rouge* labial.

La ciudad que le habían elegido esta vez era un manicomio, pero allí sí que tendría de todo. Ella nunca había apetecido el todo, sino las partes. Es decir, el todo bocado a bocado, como había aprendido desde niña con su primo en los juegos sexuales. Ella tenía acento invernal, dificultades con la memoria y facilidades para los idiomas —caso raro—, y siempre que deshacía el equipaje le atacaba el dolor de cordales. Ella no tenía nada que hacer «ahora». Se entretuvo en leer la lista con los encargos habituales: un par de zapaticos para el cumpleaños de Vanessa, la nieta de Ela, la modista, cepillos dentales, jabones, perfumes de Tati, plumas de tinta azul, leche

15

condensada, blúmeres... ¡Ah, el recuerdo del charol y el tafetán!

Siempre había que renovar los acostumbrados abrazos de despedida. Ella lo ensayaba todo delante del espejo. Irse es como doblar por una esquina. Estar pendiente del más mínimo detalle. Alpiste y secretos en el pico del canario. Reventó de fiebre, enterraron sus plumas horas después de la partida. A la gata le susurró: «Sé fiel».

Lo fue. Sabía que todos estarían más viejos a su vuelta, pero fieles. La fidelidad era más que la consigna.

Abrigos cochinísimos y grandullones aparecieron en cajas polvorientas y selladas con telarañas. Soñaba con un sombrero negro con velo sobre los ojos. Lo consiguió en el baúl de su abuela irlandesa. Lo consiguió porque ella todo lo consigue, aunque más tarde lo pierda. Los velos eran su fanatismo. Hizo algunas llamadas telefónicas, sólo para pregonar entre los envidiosos que nunca serían verdad el terror y el olvido de los que desertan del mutismo o de la algarabía de las calles de la infancia.

La amiga también preparó las valijas. Con tal de no ser testigo de la huida de Daniela había encontrado el pretexto de huir ella también. Dijo que: subió las escaleras de dos en dos, a moco tendido, abrió el escaparate, revisó los baúles, robó algunas fotos. Se untó Ca d'Or detrás de las orejas y empavesó sus labios con manteca de coco. Tomó tantas pastillas para la digestión, más otras cuantas para los nervios. Era, como cualquier paranoica, una hipocondriaca de altura.

Daniela tenía los ojos claros y un punto débil: le gustaba escribir en los cafés, cosa imposible de hacer en La Habana, porque aunque hubiera cafés, quién iba a creerse esa comemierda de escribidera. Los cafés eran para esperar a alguien. Entre ella y él —él es el novio cubanito sin dólares— hay una ansiedad virginal, un deseo de corromper al ángel adolescente. A ella la apuraban con torpeza. ¿Cuándo se casarían? No creían en su ritmo. En aquel momento se preguntó si había sido inevitable el nacimiento del cinismo en la relación amorosa.

Las maletas una vez más estuvieron listas. ¡Ah, no, faltaban las siemprevivas! El taxi desesperaba.

Muchas señales recibió de los archivos. Investigaciones del hipotálamo. No podría definirlos como recuerdos. El recuerdo es otra cosa, no se puede recordar cuando uno está apurado, el recuerdo era para ella una lejanía y precisamente por esa infinitud estaba tan cerca del presente, tan influyente y lo tocaba. Éstos eran simples martillazos de sellos en sobres cerrados. *Closed information:* la primera comunión, el primer día de clases, la primera página de un libro, la primera amiga, el primer novio, el primer verso, el primer beso, el primer orgasmo o venida sin penetración, la primera mentira, la primera regla, la primera muerte, la primera enfermedad, el primer castigo, la primera traición, el primer chupón, el primer ciclón, la primera fiesta, el primer gaznatón, el primer renunciamiento, la primera humillación o mutilación, la primera piedra... Y tal vez algún día el primer recuerdo de haber recibido tantas primeras señales enmascaradas en nostalgias.

En el aeropuerto, separadas por la barrera de un cristal que le llamaban pecera, la despedía la amiga. Quería desafiarla yéndose al campo vestida de verano. Del otro lado ella vestía el invierno. Verano e invierno hicieron pucheros tercamente, habían prometido no llorar. Los labios se movían en:

—No me traiciones.

—Envíame flores.

—Tú, chocolates. No me cuentes de la nieve, sería vulgar.

—Ponte el collar que te regalé.

—No soporto nada en el cuello, salvo las mordidas.

Nada de verse otra vez algún día. Nada de y si alguien muere antes. Nada de visita la tumba de tal escritor. Nada de cuando escuches mascual disco piensa en la amistad. Nada de cásate y ten muchos hijos. Nada de esperaré tus cartas con fervor. Nada de «el mundo es un pañuelo pequeño...» quién sabe si nos encontraremos. Nada de vístete a la moda como las modelos que se respetan. Nada de mírame, estoy haciendo esto para que sufras. Nada de alégrate sin mí. Nada de común o de rutinario. Sonó la alarma y las manos se juntaron derritiendo el vidrio. Habían abrazado una foto. Ella se apartó. Tenía los ojos pulidos por denunciables ganas de irse. De acabar con la memoria.

Como ya había ocurrido en una ocasión con el mar, el aire se abrió. ¡Qué ridículo el cielo abierto ante ella! En taxi no se llega a ninguna parte. Mucho menos a Europa. Hubo una luz inmensa en el centro del caleidoscopio. Escuchó miles de pasos y voces históricas. Discursos y batir de pañuelos. Sintió el temblorcillo en el centro de la caja torácica, el dolor de la estúpida alegría. Atrás quedaron la cajita de música, la muñeca de 1919 registrada en famosos catálogos, daguerrotipos de cantantes líricas más abundantes de carnes que de gargantas. ¡Fetiches y fetiches! Aquello, finalmente, desgraciadamente, era otra vez el cielo. Nubes gritonas y antipáticas. No eran truenos, eran batallas. ¿Napoleón en Waterloo? No, el Vianda en Girón. No eran brisas, eran derrotas convertidas en victorias. Convertiremos el revés en victoria. Siempre se puede más. ¿Por quién? Por Viet-Nam. Y haremos de cada minuto, un minuto revolucionario. Hacer más con menos. Socialismo o muerte, valga la redundancia. ¿Y dónde estaban los personajes celestiales? ¿Dónde los mensajes del más allá? La saliva le supo a metal. Ni siquiera halló consuelo en el aliento de los druidas. La invadió el sabor metálico. No era una luz, era un insecto, un héroe. ¡Coño, otra vez otro héroe!

Terminó de comer lo que le habían servido en la bandeja plástica que alguien —no es un hada madrina es la azafata miembro del Partido Comunista, porque para ser azafata no importa tanto la buena figura sino el figurar como miembro—, la azafata de marras era desdeñosa y complicada. Lo último. En el cielo también hay cucarachas. Ella confunde el zumbido del cimbalillo de la garganta con el alto maullido de un pene, mejor dicho: pinga, morronga, mandarria, cabilla, yuca, malangón, o simplemente el yerro. La Embajadora Alemana la confundió a ella con una princesa y gritó —en alemán, por supuesto— a su fingidamente sordo marido:

—¿Sabes quién es esa joven? ¡La princesa Stef de Mónaco, ya tenía yo noticias de que viajaba de incógnito, se ha teñido de rubio y ha engordado, qué mal vestida va, y eso que es diseñadora de pieles y trusas! Seguramente que el atuendo forma parte de su disfraz. ¡Bah, es más rockera que princesa, y tiene fama de megalómana!

La Embajadora Alemana no le quitaba los ojos de encima. Daniela tenía acidez. Era un largo viaje pulcro. Falso oxígeno. Cucarachas alemanas hubo una vez dentro de su refrigerador soviético, de esas rubias y pequeñitas que no hay dios ni baygones que acaben con ellas, de las que un día después de asquearle la existencia indefinidamente a uno emigran quién sabe dónde, dejándonos hasta con angustia y nostalgia, y el día menos esperado aparecen de nuevo, frescas, lozanas. Invencibles cucarachas transparentes, parpadeantes, interrogando los paladares, manoseando las digestiones.

En el avión viajaban solamente diplomáticos. Ella es la hija del embajador de un país pobre. Es, según el escrutamiento del Agregado Cultural Inglés, una subdesarrollada con innegablemente cierta distinción. Ella no se deprimió, prefirió enfurecer y tragar en seco, tragar protocolariamente la escupida rabiosa destinada al rostro anglosajón. Ella sacó su cuaderno y escribió, desasosegada, no lograba evitarlo, siempre se excitaba cuando escribía el nombre de esa ciudad: «¡A París!». Atrás, en el verdor de los campos quedó su amiga. Atrás, perdido en la ciudad despintada, descascarada, descarada, quedó su novio, el singante cubanito sin dólares. Los padres siempre la esperaban en algún punto del mundo, nunca en casa, siempre en los aeropuertos.

Tomó varias pastillas: fenobarbital, meprobamato, diazepán... con un buche de ron. Cayó redonda en el asiento. Lo hizo porque necesitaba dormir sin sueños. Lo hizo porque gustaba de saborear la muerte. Aunque, claro, nada más que saborearla.

Atrás quedó su novio, un novio triste, amargado... Atrás quedó su amiga, igualmente triste y amargada. ¡Irse al mundo es del carajo! Para todos, para ella misma, incluso cuando debiera estar feliz. Los que viajan siempre parecen contentos. ¿Lo estarán realmente?

Estuvo soñando que se sentía alegre en un bosque encantado. Un olifante a lo lejos anunció que era hora de definir su vida. En el castillo, seguramente la Reina Madre leía documentos políticos y el Rey dormitaba babeando la corona caída sobre su barrigona. En la distancia, un cazador la despertó.

Era de noche en el avión. Todos dormían y ella se despertaba. Era gracioso ver a la Embajadora Alemana descansando sus juanetes sobre los muslos del marido, el maquillaje corrido, el *tailleur* arrugado y manchado de té. Era estúpido reparar en ello, pero el Agregado Cultural Inglés se ahogaba en los ronquidos que provocaba el hilo respiratorio al chocar los dientes postizos contra la campanilla.

El avión a oscuras asustaba. Daniela pensó si estarían muertos. Si no llegarían nunca y quedarían eternamente como manchas en el aire. Del baño salió un joven distinguido. Ella supo que se había detenido para observarla y él sonrió a contraluz. Se le acercó. En la oscuridad ella adivinó una piel pálida y pulida. Y más pudo comprobarlo cuando él tomó la mano de ella entre las suyas y las besó con el aliento delicadamente. No, no es un diplomático. Ella retiene esos dedos, ¿aún sueña y él es otro fantasma de los que les encantan los discursos?

—*Je suis un voleur. Enchanté, mademoiselle...*

23

Se presentó como un ladrón, y ¿qué se podría robar en un avión? Pero no fue esa la pregunta que ella hizo:

—¿*Êtes vous Français?*

—Oui, mademoiselle...

—Daniela.

—Muy ambiguo su nombre... Prefiero hablar en español. Sé, por el acento, que habla usted esa lengua... Amo ese idioma y no lo practico mucho... ¿Me permite? —Y se instaló en el asiento vacío junto a ella.

—El nombre se lo debo a mi padre. Esperaba fervorosamente un varón. Quería la pareja, pero primero el varón. Ocurrió a la inversa. Nací yo. Para colmo mi hermano murió. ¿Y usted cómo se llama?

—Cuánto siento lo de su hermano... —dijo sin sentir nada.

—Fue mi primera muerte.

Ella hizo ademán de evitar el tema.

—Pues, tengo muchos nombres... Te daré a elegir: Jean, como casi todos los franceses, Michel, nada nuevo, François, que luce aguerrido, Henry por el rey, Louis por inercia, Jacques por la peregrinación y por Brel, Sylvain por un gato, Víctor por una novela, Philippe por moda, Patrick definía un carácter según mi madre, Bernard sonaba respetuoso para mi padre. Didier

24

por lo rozagante dijo el médico. Cyrano, literario, para mi tío. Pero mi tía añadió Arthur por Rimbaud. Mi abuela prefirió Charles por Baudelaire. Mi abuelo gritó «¡Marcel!» por Proust. «Paul» musitó mi nodriza. «Claude», rogó el retratista de la familia. Mi hermana pronunció el primer nombre que le vino a la cabeza: «Gustav-Amadeus» por Mahler y Mozart. En fin, no acabaría nunca... Serge, Erik, Joseph, Valentin, Auguste... Yo mismo decidí llamarme Maurice.

—Hubieras empezado por ése... Maurice. ¿Y por qué lo decidiste?

—Fue el único nombre que a nadie se le ocurrió. ¿De qué color tienes los ojos?

—Verdes, ¿y tú?

—Azules. Eso hace un malva.

—No sabes nada de combinación de colores.

—Nos estamos tuteando.

—En la nada es permitido.

Ella miró a través de la ventanilla. Negro, vacío, salvo la estrella que la perseguía en los viajes. Mientras, él hurgaba en el bolsillo. Sacó, ¿una estrella, una lágrima?

—Mira, es un diamante, de incomparable limpieza. Lo acabo de robar, te lo regalo.

—No, Maurice. No puedo aceptar un regalo de alguien a quien acabo de conocer, mucho menos si se trata de un robo. Devuélvelo.

25

—No, lo robé para ti.

—Por favor, déjame en paz, quisiera descansar.

Él colocó el diamante junto a la mejilla de ella, la piedra iluminó todo el rostro.

—*Dommage!* Se favorecen mutuamente, tú y la piedra.

—¡No resingues más y vete!

Él rió a carcajadas:

—¡Vaya lenguaje para la hija de un embajador!

El hada madrina. No. La azafata miembro del Pecé descorrió la cortina grisácea. Somnolienta esbozó una sonrisilla obligadamente amable. ¿Sucedía algo? Maurice palmoteó:

—¡Vino rosado para la señorita!

La señorita cerró firmemente los párpados. Iba a dormir, tenía que dormir. Era la única manera de quitarse al loco de encima. Silencio. Abrió los ojos. Maurice había desaparecido. Encima de la manta, haciendo alarde de sus fulgurantes cincuenta y ocho facetas, el diamante acusaba. Ella se lo metió rápidamente en la boca cuando vio acercarse a la azafata trasladando la bandeja con la copa de vino rosado.

—Degústalo, m'hijita, está requetebuenísimo.

A la ausencia de Maurice la azafata había cambiado el tono y la elegancia por la chusmería de los miembros del Pecé. Daniela no sabía si se refería al vino o al hombre.

Daniela probó con cuidado, pero el líquido de jubilosa ternura anestesió las papilas gustativas. Relajada, apasionada del paladar, saboreó, absorbió aire. No había nada más deleitoso que, después de un gran vino, la lengua jugara con la frialdad de la noche. La azafata quedó complacida de haber complacido, cosa que no era muy frecuente en los miembros del Pecé, y desapareció detrás de la mugrienta cortinilla. Daniela fue a llevarse nuevamente la copa a los labios. Masticó, indagó en las encías, tomó la bolsa de papel e intentó vomitar. Se había tragado el diamante. Un diamante robado. Tendría que pujar una piedra preciosa.

Los hombres otra vez con sus regalos complicados y sus fugas. Daniela se dijo: «Voy a olvidar». Y bajó su reja eléctrica. La que la cortaba de la realidad.

El vuelo fue largo. Nuevamente escuchó las arengas habituales de los personajes históricos. El vuelo fue tan largo como el riachuelo de sangre de una paloma muerta. Una vez ella había decapitado a una paloma de una pedrada, el plumaje quedó en pie, temblequeante, y del agujero brotaba un brillo negro. Una mujer vestida de punta en blanco, llena de collares, apareció, tomó por las alas el cuerpo vibrátil y se lo empinó, bebiendo como se bebe el vino en Galicia. El gaznate no cesaba de subir y de bajar. El líquido desbordado corrió por su cuello, senos, blancura de la tela. La mujer cayó al suelo, herida de púrpura, y sonreía. Tenía los labios empegotados de coágulos, y los dientes como manchados de cacao. Antes de virar los ojos en blanco, estremeció a Daniela con la mirada vidriante. La mujer murmuró:

—Algún día escribirás un poema que se llame Mercedes, como yo.

Ella sintió un escalofrío por la felicidad de aquella muerta. Al rato, en loca carrera, un perro se aproximó aullando. Lamió toda la sangre en el rostro de su ama, siguió por el resto del cuerpo, con el hocico separó las piernas y allí también lamió del agua oscura. El perro falleció a las pocas horas, de honda anemia. Además, de tanto aullar, en alguna parte importante se partió una vena imprescindible y los tímpanos sangraron. El sol secó el cuerpo del animal. A sus sandalias llegó el riachuelo rutilante. Agachada hundió el anular en el charco, se lo llevó a lengua, parecía un caldo. Su hermano llegó y se sentó en el columpio, le pidió a Daniela que lo impulsara. Daniela tuvo miedo, porque presintió la muerte de su hermano. Él pidió que empujara más, ¿acaso no tenía fuerzas? Ella empujó, él continuó histérico pidiendo más y más... Las cadenas se partieron y el columpio y su hermano se fueron al vacío. Hubo un grito interminable, ella corrió por las escaleras hasta la calle. La muerte de una paloma es infinita. Ella bajó de la azotea tiritando, le latía el gran simpático a una incontrolable velocidad. Cuando llegó ya se habían llevado al hermano, sólo quedaba el charco de sangre y la huella de los sesos. Acuclillada se miró la punta del blúmer, una ruleta punzó crecía y crecía hasta empaparle los muslos y las nalgas. Huyó entrando en el edificio, en el pasillo halló al chofer asturiano y se subió la saya para mostrarle que había asesinado a un ave, a una maga, a un perro, a su hermano. Tuvieron que jubilarlo, quedó paralítico de la parte derecha del cuerpo, a los pocos meses murió. Una sangre se fue empatando con otra. El vuelo fue tan extenso como eso: como la pedrada a una paloma.

En el aeropuerto de Orly la recibió la marejada de árabes. Después, pegados al cristal, estaba la pareja insondable a quien tenía que agradecer su existencia. Ella, la madre, elegante y nerviosa. El padre, ido, en otra galaxia, con un ramo de tulipanes miraba repetidas veces el reloj. No la descubrieron enseguida, aunque ella es vistosa, sólo eso, llamativa.

El reencuentro de tantas veces era como un único encuentro. Las informaciones de cómo irían a ser los estudios, el problema del poco salario, los horarios de verse. La agonía del concepto «éste es otro país». En el pasillo rodante ella por fin se atrevió a interrumpirles:

—Papá, me tragué un diamante robado...

—Por favor, Daniela, tu padre no está para esas fantasías, éste es un país de muchas complejidades políticas... —la madre salió al paso cuidando su puesto de diplomática-esposa-acompañante.

Daniela se calló. Apreció con una sonrisa de compromiso el ramo incómodo de tulipanes. Acarició con su mejilla los cañones de la barba paterna. Para evitar celos enlazó la cintura apretadísima de la Maternal Diplomática.

—Aquí no podrás andar vestida como en Londres. Basta del disfracito de Boy George. Nada de pelados al rape ni de mechones sobre la barbilla, nada de abrigotes negros con huecos, ni punkerías, ni discotecas...

—Mamá, tú sabes que nunca he ido a ninguna, los televisores me marean, me caigo...

—¿Todavía con esas boberías? Vamos, vamos, allí vienen las maletas. ¿Cuál es la tuya? La más mala y sucia seguramente.

—Acertaste —afirmó Daniela para joderla.

Su padre seguía en Marte. Alto, con los brazos cruzados, miraba el impecable brillo de sus mocasines Minelli. Aunque comieran de las ofertas especiales de *Ed l'épicier*, que comparado con la libreta era un lujo, tenía que vestirse como lo que eran: diplomáticos, y dar el plante. Afuera, claro, llovía parisinamente.

Era la tercera vez que Daniela venía a esta ciudad, pero en las anteriores era sólo de paso hacia otros países. En esta ocasión sería para quedarse por cinco años, y quién sabe si más. El mundo era tan diminuto que tenía la impresión de gravitar en el vientre de una hormiga. Junto a su valija viajaba un reluciente maletín de cuero de cordero. El olor del cuero la enloquecía. En invierno, a la entrada de los cafés europeos, el olor del cuero colgado le recordaba la primera vez que había besado en un ascensor, al enemigo político de su padre: al embajador americano, quien le pegaba los tarros a su mujer con la hija de su enemigo: su padre, el embajador cubano; a su vez, su padre engañaba a su madre con la esposa de su amante, es decir, con la señora embajadora americana; y su madre tarreaba a su padre con el hijo de su enemigo, es decir, con el enemigo. Así corría la leche y la información, o mejor, la desinformación. Ese mediodía del beso en el elevador, el amante enemigo y embajador llevaba un *jacquet* de cuero negro y la abrazó con sus fuertes brazos yanquis enfundados en esa piel perfumada de fábrica. Igualito que si se pajeara en el sofá de la embajada. El ascensor se abrió justo en el piso en el que el padre esperaba. Afortunadamente era tan distraído que ni reconoció a su hija. Saludó cortésmente, su comportamiento plenipotenciario no estaba preparado para aquella situación, por lo cual, inmune a toda sorpresa, en el siguiente piso se despidió correctamente, sin siquiera mirar con el rabillo del ojo a la acompañante de su rival.

Una mano enguantada en blanco tomó el maletín rozando el brazo de la madre.

—Perdone, *madame*, ¿permite? —La otra mano enfundada en impecable guante agarró la desvencijada maleta de Daniela.

El padre reaccionó y se apresuró a liberar al desconocido de la carga.

—Por favor, *monsieur*, mi señor me ha enviado por el equipaje de la señorita.

—Debe de haber un error... —dijo, ya caminando delante, el *monsieur* Embajador.

Y la madre detrás, intuyendo una trampa, interrogó a la muchacha:

—¿Cuál será el gran lío ahora, con quién venías en el avión? ¿Sabes que pueden introducirnos drogas en las valijas y después armar el escándalo? Lo veo ya en todos los periódicos: «Gran red de cubanos drogadictos», etc, etc... ¡Debes entender que estamos aquí cumpliendo un deber, tenemos que poner el nombre de la patria muy en alto, lo más alto posible!

—Cuidado con la caída desde lo alto... Ejem... Mamá, precisamente cuando iba a contarles que me tragué una piedra robada, tú me interrumpiste...

—¡Y dale con lo mismo! ¡Basta de pesadillas, me tienes harta con tus historias de desmayos, televisores, y ahora piedras tragadas, basta! ¡A ver cómo salimos de esto ahora!

El chofer llevó la desahuciada maleta hasta el Peugeot de la ilustre pareja, hizo una reverencia monárquico-militar, miró fijo en los desmesurados ojos de Daniela, y con los de él condujo la mirada de ella a cierta distancia, en la cual esperaba una limosina blanca de infranqueables ventanillas.

Ella en respuesta escupió su chicle de medio lado. La goma rosada fue a parar en la misma punta del mocasín izquierdo Minelli de su Excelencia Padre. El lunes, él entraría en la oficina, con un chicle pegado en el zapato, y todos sabrían que Daniela finalmente había arribado en el vuelo del sábado.

La casa quedaba en la Avenue Rapp, a un lado Champs de Mars, a donde todas las mañanas él iba a hacer como que corría y ella sacaba a los perrazos para el orine matinal. Del otro lado, a unas cuadras, la Explanada de los Inválidos. Daniela estaba deslumbrada, era inevitable, viviría cerca de donde vivió Antoine de Saint-Éxupéry, cerca de la tumba de Napoleón, del Museo Rodin, rue Varennes, de la Cinemateca Francesa, del Museo del Hombre, el Sena, la Tour Eiffel. Estaba tan encandilada que ni reparó en el decorado de la casa.

Sólo estudió su cuarto: una cama personal, dos mesitas de noche, un armario de buena madera, un escritorio, libreros, cuadros aceptables. Todos muebles de Habitat y lámparas imitación *art-déco* del Mercado de las Pulgas. Cortinas beiges con encajes, paredes beiges. Sintió placer. Y miedo, porque todo aquello lo pagaba Liborio, el pueblo combatiente, su amiga y su singante sin recursos... Detrás, en aquella ciudad bordeada de mar, en su país, habían quedado los daguerrotipos, la muñeca de 1919 registrada en catálogos, su veraniega amiga, y el novio sin tragedias de

34

dinero, el singante folclórico para tranquilizar su conciencia de que singaba en cubano y no en extranjero. Los pretextos para obligarse a pensar en las raíces, los intríngulis del regreso. Esa identidad que se la pasaba cogiéndole la baja a una, cañoneándola.

La madre colocó un sobre blanco en el colchón. No cabía la menor duda, era dinero.

Tuvo temblores, el dinero la petrificaba, la ponía de malhumor, el dinero le estragaba el estómago. Se sentía rara, extraña. Tenía ganas de vomitar. Una vez había querido dejar de ser alcohólica, nadie lo sabía. No quería manosear billetes, las monedas ensuciaban, contagiaban de incurables enfermedades. Ella era escrupulosa como su gran Maestro. El Maestro que nadie puede evitar cuando la soledad es la asignatura sin extraordinario. Asumir la soledad a los diez años provocaba tarde o temprano la aparición de un Maestro: el que estigma para la eternidad. La gente confundía ese estado melancólico con la agonía de llegar a la universidad. Ella se había matriculado en algunas de las grandes universidades del mundo: Oxford, la Complutense, Hamburgo, Copenhague... Indistintas carreras: Derecho, Filosofía, Historia del Arte, Filología... Nunca había terminado nada, no había dinero suficiente, la maldición del dinero era no tenerlo, gastarlo. Una vez conoció a una joven que, como ella, también odiaba el dinero, era la amante de un colega de su padre.

—¡Dany, Dany! —gritó la Matriarcal.

Ella no contestó, le horrorizaba que le achicaran el nombre.

—¡Daniela!, ¿te estás haciendo la sorda? ¡Si no te apuras cerrarán las *boutiques* —se refería a los Tatis— y mañana tenemos un almuerzo al que tendrás que asistir! ¡Asistir elegantemente vestida, dije, «elegantemente»!

No quedaba más remedio, con insulto tomó el sobre blanco. Salió del cuarto sin hacer el menor ruido. Descolgó el abrigo. Este gesto lo había visto en tantas películas. Y de un tirón de puerta se libró del cordón umbilical. El ascensor olía a jazmines. Antes de llegar a la salida principal del edificio tuvo que apretar varios botones, seguir las instrucciones de disímiles *tirez*, y atravesar infinidad de otras puertas insoportablemente aseguradas con alarmas sofisticadísimas. Del otro lado de los cristales de la recepción de la guardiana, un doberman estático mordía con la pupila y ella drenó, drenó, en abundancia, las hormonas del miedo.

Desde que desguindó el abrigo había comenzado su película. Cuando un cubano pone los pies en el extranjero ya no vive, actúa. Viajar es

36

como entrar en Hollywood. Ya en la calle actuaba para primeros planos, sonreía fingiendo distracción, caminaba rápida y suelta y sin vacunar, como se había fijado que marchaban los rockeros en los videoclips, incluso tarareó una cancioncilla de moda, alborotó su pelo. Lo primero que compraría sería gel. Tropezó con un horno en el medio de la acera, el cálido tufo a pollo *grillé* cortó la oleada invernal que se le colaba por las fosas nasales. El olor de la comida mezclado con el aguijonazo del frío la hizo sentir más libre aún. Pegada bien al horno le encantó que su ropa estuviera impregnada de perfume carísimo y de emanaciones culinarias. Caminó como Dominique Sanda, alta y con escaso maquillaje, por la Avenue Bosquet, en dirección a la entrada del metro École Militaire. Inmediatamente después de los pollos horneándose exhibidos para la segregación de la saliva, otra tentación. Ésta era la capital de las divinas tentaciones, por eso hay tantas iglesias y catedrales, después de haber caído en tentación, a pasar por delante del vitral derecho de Notre Dame y ya expías todas las culpas, ¡a pecar otra vez! Otra seducción: una dulcería.

—*Bonjour!* —cantó la dulcera con entonación de Arletty.

—*Bonjour!* Por favor, me da cien francos en dulces. De lo mejor, elija usted —dijo Daniela ya en el interior, con teatral acento de francés mediterráneo.

La otra sin asombros echó dentro de una caja diseñada para la glotonería toda una gama de merengues, chocolates, cremas, fresas, pasteles: *pain aux fraises, pain au chocolat, millefeuilles, soupes anglaises, tartes aux pommes, et tout, et tout...* Y todo, y todo. Daniela fue a pagar, ¡ah, no, faltaba algo, su dulce predilecto!

—Por favor, añada diez *tartes au citron.*

La torta de limón era su frenesí, mordía ese dulce e imaginaba que le levantaba Chopin a George Sand.

Ciento veinte francos en exquisiteces francesas que engordan, deforman. He ahí la tragedia del dinero, deformaba. Y cuando planeaba gastar una cantidad siempre debía sumar mentalmente a esa cantidad veinte o treinta, a la hora de las cuentas gastaba más de lo previsto. Así, si planeaba que iba a comprar cien francos de esto o de aquello, sabía que realmente serían ciento veinte o ciento treinta. Pasado el complejo de culpa tercermundista de que ella iba desperdiciando la plata en venenos y en Cuba la gente se desperdiciaba envenenada, en la calle desanudó el lazo rosado, y se dirigió a una cabina telefónica devorando tortas de limón, panes con fresas, chocolates lacteados, cremas de Chantilly...

Mordisqueó aquí y allá, combinando sabores y recuerdos. Masticando aún sacó su libretica de teléfonos y marcó un número. Ella siempre discaba números peligrosos.

—*Allô...* —del otro lado.

—Marcela, es Daniela.

—*Mais, c'est pas vrai, c'est pas vrai!*

Daba la impresión de que Marcela nunca creía nada.

—¡Claro que es verdad, boba! Si te estoy hablando es porque es verdad. Te espero dentro de media hora en Galerías La Fayette.

—¿En ropa interior o en perfumería?

—En ropa interior.

—*D'accord, ma chère, à tout de suite.*

Y después Marcela lo creía todo tan cómodamente. «De acuerdo, querida, hasta ahorita.» Para Marcela más claro ni el agua, ya Daniela estaba en París. Lo que para Daniela constituía una extravagancia, para Marcela era absolutamente normal, acostumbrada como estaba a la rutina de las sorpresas. Francia es el país de las sorpresas y de las vacaciones, ellos tienen más puentes al año que santos que celebrar.

• • •

Marcela era fotógrafa. Pero antes, antes Marcela estudiaba en una beca de deportes en Cojímar. Un sábado salió de pase más temprano que lo normal y en la cuadra de su casa la esperaba ya una multitud de caníbales. Le habían colocado carteles en las ventanas y en las paredes: «¡Escoria, gusana, traidora!», y todos esos adjetivos que ya conocemos, propios del «pueblo enardecido y combatiente». Sufrió agresiones. Marcela contaba entonces diecinueve años. Un zarpazo en el rostro y un latigazo con una bandera con la hoz y el martillo. Marcela se coló por la ventana a refugiarse en su casa. Los caníbales gruñeron más fuerte: «¡Esa casa ya no te pertenece, te quitaremos la casa!». La casa desierta. «¡Mamá, Papá!» Una carta pinchada con el centro de mesa. Mucho amor, mucha lástima, pero no había otro remedio: «Marcela, hija mía, nos fuimos por Mariel». Ella abrió la puerta, sincera, blancos los labios como los muros de cal del jardín, agitando la carta en la mano derecha, pidiendo explicaciones, alguien debía descifrar ese mensaje, tal vez debían apiadarse. Recibió un tomatazo en pleno cuello, un cartón de huevos sobre el cuerpo, y cuando convencida de su estupidez dio las espaldas recibió una pedrada en el pulmón. La expulsaron de la vida. Al año se casó con un senil francés, sólo para reencontrar a sus padres, para que le contaran qué había ocurrido en sus mentes, por qué la habían abandonado. Ellos se habían divorciado. Él era sereno de un parqueo en Miami, usaba pistola. Ella, camarera en el aeropuerto. Marcela expulsó el pasado. Decidió dejar al anciano galo, como ella misma lo llamaba, y sembró y recogió maíz en los campos de Narbonne. Marcela compró una cámara fotográfica de uso en un rastro con el dinero que ganaba de niñera. Pasó hambre, frío, y dolores de muelas. Nunca más lloró, pero a solas, muy a solas, aún le dolía la pedrada en el pulmón, y se frotaba con rabia el cuello para borrar las semillitas del tomate que hincaban la memoria. Marcela quiso regresar a Cojímar, a visitar las poquísimas amistades que le quedaban, las que todavía no se habían lanzado al mar. Antes, fue a la diplotienda de 70, compró una caja de tomates y un cartón de huevos. Se presentó en la puerta de la presidenta del cedeerre. Ésta le cayó a falsos y arrepentidos besos, muy fresca, suave y bajita de sal se apoderó de la caja de tomates y de las posturas de gallina. Marcela la apolinó con la vista.

—Aquí tienes, singá...

Marcela no había olvidado ni una sola mala palabra y clavándole la vista le recordó:

—¿Tú no me tiraste huevos y tomates? Ahora te hacen falta, te los devuelvo, y comprados en dólares, eso es lo que te mereces... ¿Yo no soy una traidora? Aquí tienes a la traidora, gracias a ella podrás comer unos cuantos días.

A lo que la chusma oficial respondió como si con ella no fuera:

—Ay, m'hija, qué va, en la vida yo te grité traidora, tú lo que no me entendiste, yo te decía: «trae dólar, trae dólar»... ¿Ves que es casi igualito?

Marcela la dejó por incorregible. Se fue a los pocos días de aquella desgracia de país. Ella ya había triunfado como fotógrafa, y en una exposición de pintura en Londres de la cual le habían encargado hacer las fotos, escuchó en cubaniche:

—¿Qué bolá, pa? Hace un tongón de días que no los veo.

—Daniela, te ruego, no le hables así a tu padre —defendió la madre.

Daniela, acompañada de otro de los innumerables choferes, saludaba a sus padres después de varias semanas sin verlos. Marcela fue sin vacilaciones al hallazgo, a pesar de todo, ella no guardaba rencores mayores, y comprendía muy bien que todo el mundo no tenía la culpa de su caso. Revisó a Daniela. La otra también hizo lo mismo. Los cubanos siempre se revisan desconfiados para saber quién es el informante. Sonrieron. Se hicieron amigazas, socias, aseres, moninas. Desde entonces se llamaron de país a país, de mundo

42

a mundo. Marcela no quería pensar en otro regreso, pero ella nunca había partido. Daniela había permanecido muy poco y no conocía la sensación del regreso a parte alguna, porque no tenía idea de dónde venía, geográficamente hablando ella siempre había tenido que salir de cualquier país sin derecho a la nostalgia.

Daniela entró al calor seco del metro con la barriga hinchada de harina. Frente a la pantalla lumínica de las direcciones marcó su destino y se decidió lógicamente por la línea más rápida. El tren resopló, ella saltó por encima de la barrera de los tiquetes, y la puerta casi le desgarró el abrigo. Estaba nuevamente filmando su película. En alguna esquina estarían la cámara, los espectadores. Entró un joven y cantó su repertorio beatleriano, pasó el sombrero y Daniela echó treinta francos. Él la miró extrañado. Ella se le tiró al cuello, lo besuqueó sonoramente. Sacó una torta de limón y la colocó entre los dientes del cantante. ¡Ah, ya estaba en la Ópera! ¡Adiós, poeta de los metros!

Daniela no estaba loca. Daniela quería vivir el amor, la aventura. Galerías La Fayette. ¡Qué techo, mi madre, de pinga, amiguitos! Correteó por la tienda, sigue en las secuencias fílmicas.

Marcela vestida de negro acariciaba las sedas de los *dessus-chics*. La ropa interior más cara del mundo. Si alguna vez Daniela quisiera acostarse con una mujer, quisiera raspar con una de ellas, de seguro escogería a Marcela. Era fina, dulce, y amaba para siempre. La fidelidad para Marcela era la complicidad. Las dos se habían querido a primera vista, *le coup de foudre*, el flechazo. Pero a las dos les gustaban demasiado los tipos, aunque pasearan cogidas de las manos, aunque se escribieran largas cartas citando a Seferis, Lorca, Cavafis y Pessoa. Un día Marcela le confesó:

—Daniela, te quiero tanto. Conozco a mucha gente, pero mi única amiga eres tú, eres especial.

Un probador abierto ante sus ojos y de repente apareció Marcela semidesnuda con liguero negro, corpiño negro también con cintas rojas, vuelitos de seda por toda la piel. Saltaron de alegría, antes de abrazarse batieron palmas, cantaron fragmentos de canciones inolvidables y comunes, recitaron versos. Daniela lanzó el abrigo al aire. Marcela se encaramó encima de su amiga, encarranchada a su cintura. Y después de los efusivos abrazos, haciéndose la boba, Marcela comenzó a vestirse encima de los caros interiores de seda. Con una cuchilla de afeitar cortó los detonadores de hilos y precios. Tomó a Daniela por la mano y como dos bólidos huyeron con mil francos de seda negra. En el metro, experta, Marcela logró sacar todo lo robado sin enseñar un muslo.

—Toma, es mi regalo de bienvenida. Aunque te compré algunas cositas, pero tenía que haber aventura, peligro, si no no valía la pena.

—Debo comprar ropa elegante para mañana.

—¡Bah, te puedo dar algo mío! Vámonos al café existencialista.

En el café, no sólo de Sartre y de Simone de Beauvoir, sino también de otros escritores, Marcela saludó a una escritora argentina, a un profesor de la Sorbona, a dos galeristas y otros tantos personajazos más. Daniela pidió un kir. Marcela un café bien negro. Marcela empezó preguntando por la otra amiga cubana de Daniela y por el novio. Evitó el tema de las palmeras y del mar, tan azul.

—Ella de vacaciones en Viñales. Él... no sé por qué somos novios.

—Yo me hice de un amigo, me gusta un mazo. Ya lo conocerás... Increíble la vida. ¿Te acuerdas de que tú y yo nos citamos hace un año en París, para este mismo lugar? Fue idea mía, y tú me respondiste: «¿Y por qué no?».

Daniela asintió, y entre tanto encendió un Philip Morris Bleu con filtro. ¿Philip? ¿Philipe? ¿Philippe? ¿Se escribirá con dos «pes» al final? Philipe o Philippe, uno de los tantísimos nombres de... de... Maurice.

—Marcela, tengo una historia idiota. En el avión me tragué un diamante robado.

—¿Un diamante robado? ¡No será el del Capitolio de La Habana! Hay que ver a un médico, vamos inmediatamente al Hôtel Dieu, el hospital, es cerquita...

—¡No, niña, no me duele nada! Pero el tipo que me lo regaló era rarísimo, tiene una lista larguísima de nombres, y se presentó como un ladrón, de lo más normal.

—¿No estarás pensando que te lo puso la CIA?

—Yo no, pero mi madre de seguro que lo pensará.

—Daniela, vuelve en ti... —Marcela la sacudió suavemente—. Si es verdad eso, sólo tienes que preocuparte de una cosa, debes tener en cuenta que tienes mucha plata en tu estómago, es todo. ¡*Mon Dieu*, sabía de brillantes en los pezones, en los ombligos, hasta en el clítoris, pero en los intestinos *jamais*, nunca de nunca!

Cuando alguien miraba a una de esa manera no quedaba otra opción: había que acostarse. Él palmoteó solicitando champán al camarero. Tenía la voz ronca, de italiano metal. Por casualidad Daniela había desviado los ojos hacia aquella mesa, porque no había reconocido la voz. A ella le ocurría todo por casualidad. Daniela era firmemente postexistencialista, eso quiso evocar para impedir la aparición. Él estaba allí, seguro de hallarla. Marcela volteó la cabeza, a Marcela no había que advertirle nada.

—¡Ay, ay, ay, ay, sospecho que vienen a reclamarte el diamante!

—¡Es él, Marcela, es él, y ahora ¿qué coño hago?

—Primero, deja de temblequear, vete al baño, métete en dedo en la garganta y vomita, lo lavas bien y se lo colocas en la mesa. Si ya es demasiado tarde para vomitar, te sientas en el inodoro, pujas amasándote las rodillas, cágalo, y lo lavas mejor.

El camarero fue hacia las muchachas con el champán inaugurando festivales. Esto era como la *première* de su película en Cannes. Marcela era su constante *flashback*, y el ladrón su James Bond, agente 007. El camarero sirvió silencioso la espumeante bebida, después fue a la mesa de él y llenó la copa. Él la alzó brindando con Daniela. Marcela, sin voltearse esta vez, irguió la suya al mismo tiempo y tomando la mano de su amiga la obligó al chín.

—No seas grosera, al menos se arriesgó robando el brillante.

El camarero depositó la botella en la mesa de ellas.

—Creo que mejor me voy.

—No, no, no, ahora no.

—Tengo que hacer unas fotos, mañana me voy a Toulouse, vuelvo en un mes. Aquí te dejo la llave de la buhardilla. Nos vemos, cuídate, no hagas disparates... Te quiero, tú sabes lo que significa para mí volver a verte, es como... como volver a la islita de mierda que tanto nos cagó la vida... Vuelvo pronto, tendremos mucho tiempo.

Se abrazaron. Daniela intentaba mirar al vacío, pero él continuaba enfrente, irónico, tranquilo, seguro, de gran rascabucheador. Marcela le susurró:

—Aprovéchalo, te dejo con el príncipe azul.

Antes de irse, su amiga se despidió de él con una reverencia de la cabeza. Él le devolvió el gesto. Marcela salió arrastrando los tacones de sus botines negros con puntas de metal plateado.

Simone de Beauvoir se habría divertido de lo lindo si la hubiera observado tan tímidamente esquiva. Realmente no era tan bello; sin embargo, desde el primer momento ella lo vio hermoso. Tampoco era tan joven, pero lo que sí le rompía el coco. Ella pensó que debía actuar bruscamente. Bastaba ya de jueguitos adolescentes. Se veía a la legua, él no era un hombre para ella, ella tampoco era una mujer para él. Ella pensó que tomaría su caja, donde todavía quedaban veintinueve francos de dulces, la botella de champán con la otra mano, iría a él, le diría: «Quiero templar contigo». Ella no había terminado de pensar y ya estaba junto al ladrón.

—¡Qué hambre tienes! —exclamó él revisando el interior de la caja.

Ya Daniela no podría decirle que tenía ganas de singárselo hasta mañana por la mañana a la orilla del Sena, o en el Pont Neuf envuelto hace un tiempo por Christo. El comentario acerca de su hambre cortó los impulsos:

—Soy muy dulcera.

—Creo que eres una pobre tonta llena de escalofríos y deseos.

Después su mano se deslizó del cuello al pezón izquierdo de ella. Quiso besarla.

—No, tú, qué te pasa, eh.

—¿Puedo invitarte a volar?

—Acepto cualquier invitación, siempre que no tengan que ver con robos.

Ahí estaba el enigma. Cuando él acarició y otra vez besó la mano. Ahí estaba el cabrón enigma. ¿Por qué ella, por qué él?

Ella volvió a las andadas. Primer día de estreno como hija de diplomáticos en París y ya estaba metiendo la pata. Debía de ser un ladrón muy rico, la limosina del aeropuerto era la misma que ahora los esperaba. Rico y ladrón no equidistaban mucho, según los dictados y los aspectos de la carta astrológica del cordón umbilical, la madre adivina, ¿o asesina? Música francesa en la radiocassettera: Brel aseguraba que «cuando ella duerme, nada se mueve», Bárbara ripostaba que «ella se inventa un país donde está el sol». París, gris de punta a rabo. Y enseguida, las afueras, y una casa elegante con muebles cubiertos con forros impecablemente blancos, y en el patio una avioneta. Antes de subirla, él regaló a Daniela un ramito de violetas.

La avioneta era negra. Él estaba vestido de negro. Daniela también. Él cubrió parte de su cara con un antifaz oscuro y los ojos azules sonrieron detenidos en el ramo de violetas. Un criado enmascaró también a Daniela con un segundo antifaz. Los ojos verdes se posaron aguados en las manos que comenzaron a oprimir botones de

50

una colorida pizarra incomprensible. Ella excitada posó la mano en el muslo de su guía. Volaban sobre *banlieue*, donde viven los emigrantes, y Daniela supo que no estaba volando montada en una alfombra, abajo no era la vista aérea de una carta postal, abajo estaba la vida de una parte de la ciudad en penumbras. Ella, fría, quitó la mano del muslo. Él volvió a atraerla hacia su carne hirviente. Ella poco a poco subió la mano, abrió el zíper del pantalón, sacó un pájaro palpitante en la garganta de un huracán. Así quiso expresarse en París, en La Habana era simplemente una pingona *pará*. Aprisionó y el ave respondió con una punzada, más que un latido. Volaron sobre la bohemia perdida, las luces neónicas delataron que los escritores y pintores de antaño saldaron excelentemente sus deudas yéndose con sus músicas a otra parte. El pájaro creció más y más, Daniela sopló un pétalo de violeta sobre el pico y su lengua chocó con la cabeza del ave. La sed la dilataba. La mano de él enguantada en cabritilla recorrió sus nalgas, abrió los muslos, palpó a lo largo de la ranura, entró y salió el dedo al ritmo de las chupadas en la corona del ave, mamada de capotico. Él levantó dulcemente la cabeza de Daniela. ¡Volaban por encima del Arco de Triunfo de los Champs-Elysées! Fueron segundos, pero Daniela se pudo percatar de que muchos ojos como estrellas diminutas se habían clavado en ellos. Daniela se halló entre dos cielos. Arriba las estrellas como ojos de la noche, a sus pies ojos desorbitados como estrellas interrogantes. ¿Y si cuando uno mira a las estrellas estuviera reflejándose en ellas? Abajo estaba el terror, allá arriba una cierta paz no menos terrorífica. Basta que un avión pase sobre nuestras cabezas para que se desate el aviso de guerra en los cerebros.

Fueron pocos segundos. En un jardín, de violetas, el ave latiente aterrizó sobre su cuerpo. ¡Coño, mierda, olvidó el preservativo! Él dijo que nunca lo usaba. Ella que temía a las enfermedades. Le preguntó si era promiscuo. Él negó con la cabeza de arriba. La de abajo se hundió en el regazo uterino.

—¡Dios santo, qué peligro, no debo hacerlo con extranjeros que no sean seguros!

Esa frase le bajaba la mandarria a cualquiera. Pero él siguió:

—Olvidas que la extranjera eres tú.

Fue lento, sin aspavientos. Los franceses no son tan frenéticos cuando tiemplan como lo son los cubanos. Lengua con lengua, tiernos e inmortales. Él empujó el pájaro —el mandao— y éste tropezó con algo duro. Ella soltó un quejido ridículo y de sus labios brotó un rayo branquísimamente neblinoso, como si escupiera polvo lunar. Sumamente sorprendido y gozoso y no menos caliente, él empujó de nuevo; el mismo resultado, un gemido y otro vómito galáctico: un haz plateado directo a Venus. Un impulso y otro y otro, singueta va y singueta viene, y la oscuridad celestial iluminada con rayos nacarados. El ave —el trozo— hinchada de estertores erizó sus plumas y cantó para la húmeda y roja carne donde incrustado en el tembloroso agujero del útero resplandecía un diamante, cual una trufa enterrada en un bien cortado *foie gras*. El canto del ave hizo eco en las cincuenta y ocho facetas y Daniela se hizo de una transparencia fosforescente, parecía una actriz de Spielberg, iluminando de inigualable castidad la noche parisina. Para Saint-Denis fue un grave problema, esa madrugada todas las putas recuperaron la doncellez de sus hímenes, y no fue fácil romperlos mientras la luz duró. Tan fácil que hubiera sido haber dicho: singaron y se vinieron como mulos, pero la literatura es muy a menudo así, como una mariconzona católica.

Despertó a las cuatro de la mañana en un cuarto que no era el suyo. Las paredes cubiertas de fotos. Sin duda era el apartamento de Marcela.

¿Había bebido tanto champán? Recordaba el avión, al ladrón besándola, ¿Y más tarde? Junto al reloj despertador encontró una nota escrita con la esbelta caligrafía de Marcela, los puntos de las «íes» eran cómicos globitos infantiles. Se había ido a la una de la madrugada, reiterando que no demoraría, un mes a lo sumo, y que en el cuarto contiguo estaba el ajuar diplomático. Daniela dedujo que hacía muy poco que había aterrizado allí, incluso creyó haber despertado por culpa del ruido de la cerradura. Encendió la lámpara de la habitación de al lado, encima de la cama había varios paquetes de tiendas carísimas, Marcela le había comprado ropa. Colocó todo el dinero que le quedaba encima del escritorio, en el sobre dibujó una sonriente muñequita agradecida. Cargó con las jabas, hurgó en los escondrijos del abrigo, allí estaban los dos juegos de llaves, el de su casa y el del apartamento de su amiga. Recorrió la buhardilla, las ventanas góticas daban al Sena, era en el muelle de Grands-Augustins.

A esa hora podía olvidarse del metro o de la gua-gua, y no soportaba los taxis. Prefería caminar. Pero la limosina esperaba a unos veinte metros. La puerta trasera estaba abierta. Daniela corrió alebrestada, creyendo que iría a encontrarlo, pero se halló solitaria en el asiento lujoso. Sú-

bitamente la puerta se cerró y por más que force-
jeó los cristales que la separaban de la parte de-
lantera no obtuvo respuesta. Exclusivamente la
puerta volvió a abrirse cuando ya el auto estaba
enfrente de la casa de la Avenue Rapp. El impá-
vido chofer cerró sin palabras una vez que ella
estuvo en el exterior. El vehículo desapareció por
la primera esquina hacia lo más intrincado de la
noche de la Rive-Gauche.

Al principio creyó que sus padres no estaban,
pero en verdad dormían. A propósito dejó las
bolsas a la entrada para que su madre le permi-
tiera dormir en paz, satisfecha porque había seguido sus consejos de comprar ropa elegante.
Daniela se tiró en el colchón e inmediatamente
soñó que ese hombre nunca se enamoraría de
ella, soñó que Marcela era la amiga que había
quedado rodeada de las palmas de Viñales y que
aquélla ahora viajaba en el TGV hacia Toulouse.
Soñó que por fin se graduaba de algo en cualquier universidad. Soñó que el novio se había
empatado con otra muchacha, y que los padres la
esperaban en un balcón habanero, y que ella ate-
rrizaba en paracaídas sobre miles y miles de ojos
humanos. Y que todos aquellos que la querían y
que vivían dispersos por el mundo, estaban reu-
nidos en un país, ese que Bárbara se inventaba,
«donde está el sol».

Oyó canto de ángeles y un órgano. Risas de niños y los chirridos de un parque de diversiones. ¿Qué hora es, dónde está? Daniela abrió los párpados, sustituyó al viejo y carcomido armario colonial por el suntuoso escaparate, quiso encender su lámpara a la derecha y resultó que estaba a la izquierda, no había reloj o no lo hallaba, la superficie del escritorio brillaba como un espejo, ¿y sus papeles, sus cartas, su diario? Buscó al frente la ventana, pero había mudado de pared, de espacio, a una esquina. Éste evidentemente no era su cuarto. Por la ventana no vio... ¡no hay mar! ¡Cristo de Limpias, qué hicieron del mar! Hacía un calor reseco, le dolía la garganta, estaba pegajosa. Ahí, entre los muslos, hasta las nalgas, tiene leche, mucha leche. Claro, ya caía... sucedió tan rápido: el avión, el ladrón, París, sus padres, la nueva misión, Marcela, la avioneta, París, el ladrón, el apartamento de Marcela, la limosina, sus padres, la nueva misión...

—¡Las once de la mañana y durmiendo todavía! ¿Pero qué se habrá creído esta chiquita? ¡Para ponernos histéricos! Llegó, ¿a que tú no sabes a qué hora llegó, vaya? ¡No, tú qué vas a saber si a ti no te importa nada, primera noche en esta difícil ciudad y ya empezó a darnos dolores de cabeza! ¡Debieras, alguna vez en tu vida debieras hablar seriamente con ella, ponerte duro, parártele bonito y cantarle las cuarenta! ¡Y menos mal que hizo buenas compras, claro, no sé de dónde habrá sacado dinero para tantos Chaneles, Diores, Yves Saintes-Laurentes, toda esa sedería, peletería Bally, habrá que chequearla! ¿No vas a opinar?

—En el noticiero informaron que anoche sobrevoló el Arco de Triunfo una misteriosa avioneta, a su dueño le llaman el barón Mauve, están consternadísimos. También hubo reflectores muy interesantes. Las prostitutas de Saint-Denis tienen tremenda jodedera armada porque anoche sangraron como la primera vez... Mauve, *mauve*, el color del remordimiento.

—¿Te ocuparás de tu hija o no?

—Déjame, tengo que estar informado. Después trataremos el asunto Daniela. Ella sabe lo que hace, es inteligente.

—¡Sigue viviendo de ese cuento, sigue, bobo, a lo mejor está metida en toda esa historia de la avioneta y las putas! ¡No lo dudo, mi intuición de madre...!

—¡Schsssss!

Él se reclinó en la cama y le liberó la frente de cabellos y de sudor. Se paró y fue hasta la calefacción para apagarla, comentó que podría enfermarse, había demasiada alta temperatura ficticia en tan hermética estancia. Regresó a la cama, su corpulencia hundió el colchón del lado derecho. Ella aún somnolienta se le colgó al cuello, repitiéndole que lo adoraba, que lo amaba, que nunca había tiempo para confesarse nada, que también la quería a ella, a la madre, aunque la sacara de quicio, que los amaba a los dos, que no podía soportar la idea de perderlos, de que murieran. Él comentó que olía como a semen, estaba celoso, la miró cruel como para intimidarla y sacarle información. Ella contó mentiras, unas más en la interminable lista no tendría tanta importancia. En definitivas, él sólo necesitaba oír mentiras: había ido a las tiendas, a los museos, se entretuvo en los cafés, fue al cine. El cine no era como los televisores. El cine no la mareaba. En los televisores era todo tan pequeñito que los personajes se superponían unos en otros, las voces se mezclaban, y ella se desmayaba. Él diagnosticó que ella padecía de hipermetropía. Eran horribles los problemas de la vista a esa edad. Ella estuvo en el cine y en el asiento habían dejado olvidada una billetera con un grueso fajo de francos de a quinientos. Fue a la prefactura, devolvió todo. *Les flics...* ¿Qué era ese lenguaje de carretonera? Perdón, los policías habían sido super-gentiles, localizaron a la dueña del monedero, ésta le agradeció con desmesurados abrazos y besos. Ya en la calle se dio cuenta de que la mujer había introducido dinero en su jaba. De nuevo corrió a la estación, pero nadie quiso aceptar el dinero de vuelta, ninguno además confesó haber sido testigo de que la mujer le deslizara tal cantidad subrepticiamente. Se fue casi rica. Y como la madre había rogado que comprara ropa elegante, pues así lo hizo. Regresó paseando, soñando, bailando por los parques y plazas. Era peligroso, lo sabía, pero la invadía la emoción. Bien, no había mucha gravedad, pero para la próxima nada de policías, prohibido recoger dinero en los cines, no más llegadas tardes y... no olvidar que para algo estaba el teléfono. ¿Correcto?

—Papá, es que no me han dado el número. —Daniela sabía cómo virarle la tortilla, cómo hacerlo sentir culpable.

¡Qué cabeza la de él! Lo más presente que tenía. De todas formas, había olor a semen en la habitación. No se equivocaba, pero no es lo que él estaba pensando, para nada. Es que ella sufría de jaquecas y había untado sus sienes con una pomada muy potente, el último grito de las pomadas, confeccionada con semen masculino. ¡Ah, ya! ¿Le dolía el cerebro? Afirmativo. ¿Podría quedarse descansando, podría prescindir de la ida al almuerzo? Por supuesto que no, lo habían preparado para darle la bienvenida a ella, especialmente. No podía hacerle ese feo a la cariñosa idea del

Embajador Inglés, ¿por casualidad se acordaba ella del señor O'Keefe en Londres? Pues era el actual Embajador de Inglaterra en París. No podía faltar. De ninguna manera.

El *tailleur* Chanel era de lana virgen verde botella con cuello de terciopelo negro. Se puso zapatos de tacones, encharolados y cálidos, medias de encaje negro, en el tobillo derecho brillaba una mariposa bordada en plateado. Dos perlas negras adornaban los lóbulos de las orejas. Sombrero verde, del mismo color del traje, con velo negro de lunares. Guantes negros de seda fina. Ropa interior también de seda, la robada por Marcela. Perfume seco. Peinada hacia atrás al natural. Maquillaje invernal discreto. Abrigo imitación piel de zorro. Marcela era ecologista, y estaba de acuerdo con Brigitte Bardot y con Nastassja Kinski en que se sentían redentoras enfundadas en pieles falsas, *à l'aise* con sus conciencias. Daniela lucía elegantemente nerviosa, no sabía moverse dentro de su nuevo *look*. De Boy George a Lady Di iba una distancia acojonante. Un diamante le servía de anticonceptivo, mientras no se meneara desproporcionadamente.

—Eres otra, me han cambiado de hija, soy feliz —dijo la Reina Regente ya arrellanada en la

60

carroza, quitándole un pelo castaño de entre millones de pelos rojizos al abrigo de Daniela.

—Una vez que te has puesto el abrigo no debieras peinarte. Recuerda que una no debe peinarse en público. Vas al baño y allí te compones. ¿Y tu cartera?

—¿La mochila? —preguntó Daniela adrede, para mortificarla.

—¿Cómo que la mochila? ¡Imbécil! ¿No te compraste una cartera?

Daniela sacó de debajo del abrigo una minúscula cartera charolada también, en combinación con los zapatos. La Reina Regente suspiró reconfortada. El Rey padre besó a su hija en la nariz. Daniela no se sorprendió, él siempre la besaba como los padres europeos besan a sus hijos. Y después olisqueó asqueado de la fragancia eucalíptica nasal que despedía Daniela por comer los caramelos Tic-tac.

Era domingo. París sin embotellamientos. Porte de Clignancourt. Las afueras. Carretera. Carteles. Vallas publicitarias: «1664, el más grande placer que una cerveza puede ofrecer». «Con Benetton, todos son amigos», una mulata con la familiar bandera de la estrella solitaria apretaba a un rubio pecoso con insignia yanqui, reían confraternales en gigantesco primer plano. «La Francia para todos.» «M. Gainsbourg hace la tradición», éste era un viejo anuncio descascarado, raro ver una valla en esas condiciones. «Été. Printemps»: para la tienda Primavera ya era verano en pleno invierno. Carretera aún. Nombres de pueblecitos como títulos de libros del siglo XIX, *petits villages* que retrotraían a la vieja *chanson française.*

—¡Esto es el campo! —chilló la urbana Embajadora.

—Olvidé decirte que es un almuerzo campestre. No es que pasaremos frío, estaremos bien resguardados al fuego de las chimeneas, alejados del mundanal ruido...

—¡Pero debiste habernos prevenido, haremos el papelazo del siglo con estos trapajos!

Daniela abandonó la postura erguida de Lady Di y se acomodó en su desgarbada y querida pose de Boy George.

—¡Haz el bendito favor de enderezarte!

Daniela obedeció.

En plena campiña, dominando el paisaje, se levantaba un cómico y esplendoroso castillito. Súbitamente la Madraza Regente se compuso, un castillo es un castillo, *quand même!*, así sea de arena. El mayordomo de librea negra los anunció. Presentaciones. Ella era la primogénita, la adorada. Habían tenido un varón, pero murió en trágico accidente, cara compungida de la madre, segundos después mucho odio. La muerte de un niño es terrible. Todas las muertes lo son.

Daniela no quería que pronunciaran la palabra muerte. Su vientre subió y bajó, como en aquel mediodía, el hermano en el columpio, meciéndose al máximo impulso. «¡Más Dany, empújame más!» Le dolió la barriga de tanto impulsarlo. Era mucha fuerza. Sintió en su piel el chirrido de las cadenas al desprenderse, y su hermano desapareció en el vacío de los edificios.

Las presentaciones. Ella nunca oía bien los nombres, sólo manos o tres besos en las mejillas. Ella era bella, chismorretearon. ¡Atención!, la hija prefería que la piropearan de inteligente. Era muy sabio, la belleza era la cualidad menos perdurable. Dependía del tipo de belleza a la que se hacía referencia. Ella era muy lectora. También le fascinaba la música culta, dijeron por música clásica; en fin, apreciaba todo tipo de buena música, carraspeó el padre dándose cuenta de la metedura de pata. Tenía un solo defecto, bueno, dos: no era casera, no paraba en la casa, vivía la mayor parte del tiempo en los museos y en los cines y teatros; y además: no era buena cocinera, y eso que ellos le habían obsequiado el mejor libro de cocina internacional. Daniela se sentía un negocio que el padre quería proponer a sus colegas, un producto típico cubano, como el tabaco o el relajo. Manos pálidas, rojas, manos cremosas y perfumadas. Mejillas aplaudiéndose con otras mejillas. Nadie se atrevía, no era común a pegar los labios en la piel. ¿Había esquiado alguna vez? ¿Nieva en Cuba? ¡Hombre, ni dudarlo! Digo no, perdón, en Cuba no nieva, Cuba es un eterno verano, venga a vivir una tentación, pero su hija sí había esquiado, en Superbesse, cerca de Grenoble. Pero ella siempre sangraba por la nariz.

Para un simple almuerzo había un conglomerado de gente, nada de música puesto que no se trataba de una fiesta cualquiera. Era un acontecimiento social, un ejercicio diplomático de democracia, una bienvenida con todas las de la ley. La recibían los representantes de todos los países de la bolita del mundo, salvo los del campo adverso: los imperialistas yanquis, los malos de la película. Estaban los socialistas, semisocialistas y ex socialistas, revolucionarios, mejor dicho, progresistas, capitalistas buenos, capitalistas malos, capitalistas peores, —en algún rincón estaría agazapado el fascismo, ganando votos. La izquierda de derecha y la derecha de izquierda, la mitad de un comunista... intelectuales —¡cómo iban a faltar!—, pintores, periodistas, futbolistas, en fin, toda la bufonería... y... y... ¡hasta ladrones! Él estaba allí, divirtiéndose de lo lindo con

64

la restaurada Daniela, esperando el instante de su introducción, enrojecidos los ojos de tanto aguantar la carcajada. Cínico. Barrido cinematográfico de la muchacha.

—Señorita, le presento al escritor italiano Alberto Moravia.

—«¿Y qué hago yo aquí donde no hay nada grande que hacer?» —se preguntó el Maestro Moravia citando al poeta cubano tuberculoso. Daniela se arrodilló en profundo respeto. *Le petit* Alberto era alto, o a ella le pareció que lo fuera, apoyado en un bastón más por coquetería que por enfermedad. Él descansó su mano en el hombro joven y tibio, después la conminó a que se levantara. A Daniela le susurraron que se cuidara porque era mujeriego y malgenioso. Por el contrario el pequeño Alberto sonrió amablemente, casi apasionadamente, muy frente a frente. Él llevaba una camisa a rayas anchas, rojas y blancas, un traje azul prusia. Tenía la piel como la de un recién nacido. La cabeza blanca en canas.

—Maestro, he leído todos sus libros.

—Espero que me siga leyendo, jovencita —rió malévolo.

—Señoras, señores, señoritas... —se hizo atender el anfitrión—, damos este almuerzo en homenaje al gran escritor italiano Alberto Moravia...

Daniela pensó como un rayo: otro artilugio de sus padres para que ella asistiera, convenciéndola de que sería la festejada principal, pero no se arrepentía de haber ido, pues tenía junto a ella al pequeño gran Alberto, y a sus espaldas al barón Mauve.

—... Y damos también con enorme agrado la bienvenida... —prosiguió el anfitrión— a la señorita Daniela... (nombre completo)... hija de los Excelentísimos Embajadores... (pelos y señales).

El pequeño Alberto la condujo por el codo, rogando que lo acompañara hasta el sofá de cuero negro, de paso le rozó una tetica, y murmuró que odiaba a las mujeres que ceñían sus cuerpos en cuero. Daniela refrescó su memoria aludiendo a que uno de los personajes femeninos en *L'homme qui regarde* siempre andaba embragado en cuero. Él se hizo el bobo y le preguntó la edad, sin permitir respuesta contó que estaba casado con una navarra mucho más joven que él. Cuando él terminó de hablar Daniela confesó la edad. Él no entendió por qué ese número, y era que había olvidado el origen de su discurso:

—¿Veintitrés qué?

—Años.

—¡Ah, sí, años! ¿Sabía usted que hace muchos años yo visité su país? Pues sí... cuando lo de la Tricontinental, me trataron muy mal, ¡puesto y convidado!

—Daniela, Daniela... con permiso, maestro Moravia. Mira, hija mía, te presento al escritor griego Vassilis Vassilikos, el autor de la célebre novela *Z*. ¡Tú viste la película!

—Y leí el libro, papá.

—Señorita, ¿por qué lleva usted una zeta en la cadena del cuello? —preguntó Vassilikos.

—Porque es la última letra del abecedario, la letra que más me gusta, porque hubiera querido tener un nombre que empezara con la zeta... Tengo relaciones muy especiales con las letras y los nombres.

Daniela dijo toda esta bobería para esconder la verdad: era un regalo de su antiguo amante, el enemigo político de su padre, el embajador americano; la zeta era una ene acostada, letra con la que empezaba el nombre del ex amante. El pequeño Alberto, sonriendo adivinador, castigador, se llevó la copa de vino a los labios.

—Podían haberla bautizado Zaida, Zoraya, o, por ejemplo, Zoé... Vida... —comentó Vassilis Vassilikos.

—Me habría encantado.

—¿No beberá nada? —preguntó irrumpiendo en la conversación el pequeño Alberto.

—Vino rojo.

Una alta señora con turbante años veinte solicitó al escritor italiano y ubicó su humanidad al lado del pequeño Alberto. El escritor griego decidió ir en busca del vino para la señorita, pero en el camino fue interpelado por otros invitados. La señora del turbante se le encimaba a Moravia:

—Maestro querido... tengo varios secretos que quisiera compartir con usted... —Y cuchichearon maliciosos.

Daniela, abandonada, no respiraba. Le molestaba todo lo que llevaba puesto, la lana virgen, las sedas y las pasiones. Una mano adorablemente conocida le extendió la copa. Contenía vino rojo. Ella confirmó que era él, no tenía ni que mirarlo. La agarró por la muñeca, como si fueran a bailar la danza apache, ella hizo discreto ademán de rechazo, él insistió convencido de que ella deseaba escapar.

En un salón de piedras y columnas de maderas se hallaron en soledad. Nadie los había presentado, pero ya se conocían. Nadie los presentará. Lo que se regaba, el superchisme, era que este personaje estaba de más en este lugar. Era dañino, dada su categoría, que se hubiera colado. Nadie podía atreverse a señalarlo, nadie podría pedirle que se retirara. Esto no era un almuerzo de *noblesse*, sí democrático, pero él era tan elitista en su especie. Una especie que comenzaba a estar de moda, pero para los diplomáticos era insoportable aceptar la moda. Todos vestían iguales: pantalones grises, y *blazers* azules de abotonaduras doradas o plateadas, dependía del color de la piel. Pero es que también ésa era la moda. La política era otra cosa, señores míos. No debiéramos mezclar el culo con el aguacero. La moda era efímera. No en París, la cuna de lo último en los muñequitos en moda, querían decir en diseños. Algún día los japoneses acabarán con todo esto, porque nadie dudará de que serán los japoneses. Había que hablar más bajito, por ahí rondaba el Señor Embajador Japonés. Los yanquis, por otra parte, no entendían de nada puro, acabarán también. Ya descojonaron el refinamiento, la clase. De acuerdo, eran una clase de inocentones esos gringos. ¿Bombardear es de inocentones? De acuerdo. Los japoneses, sin embargo, tenían mucha, pero mucha clase. De acuerdo. Era innegablemente imperdonable que este personaje de marras, el príncipe mendigo, se hubiera invitado solo, hubiera puesto todas sus audacias ancestrales por delante, apabullando al anfitrión.

• • •

En el inmenso salón de piedras color verde pompeyano, los fuera de contexto, iniciaron un diálogo a lo Resnais.

—¿Cómo supiste que quería vino rojo?

—Lo leí en tus labios, cuando hablabas con el señor Vassilikos.

—Maurice, no entiendo nada.

—No hay nada que entender.

—¿Quién eres además de ladrón, y de ser... *Le baron Mauve*?

—¡Cállate! Nadie más lo sabe.

—Claro que sé que sólo yo lo sé.

—¿Necesitas más información?

—Soy la hija de un Embajador.

Todas las hijas de embajadores eran igual de pretenciosas, se creían las dueñas del futuro, sin sospechar cuán efímera podía ser la idea del futuro en la vida de un Embajador socialista. Hoy era embajador y mañana podrá ser enterrador.

Estalló la irónica carcajada. Nadie lo creería, que ella fuera la hija de un embajador. No tenía nada que ver con ese mundo. Olvidaba que era la hija de un embajador de un país en desgracia, pobre, solitario, y «socialista». Más bien parecía una rockera, o una trapecista. Ella tembló haciéndose la hoja de otoño, o como una enferma de hipertiroidismo. Daniela recibió una señal del más allá, un friíto en el páncreas. Entre ella y él había una ansiedad virginal. Ella necesitaba enamorarse, casarse, tener otra nacionalidad. Podía que fuera él, podía que no. Pero ella recibió señales inexplicables. No podía describir ese salto en el simpático que le helaba las verijas y al mismo tiempo le ardían las orejas y la nuca. Tenía ganas de morderle los labios. Quería pedirle que se afeitara el bigote, pero sucedía que el bigote le asentaba, vaya, lo hacía más interesante, pero ella sólo quería pedírselo en prueba de amor. Ella se dio cuenta que estaba sintiendo demasiado velozmente y ejercitó su precocidad arrebujándose en su pecho. Él la apartó suave, pero convencido del peligro que significaba que los vieran pegados, miró a todos lados, por suerte nadie se había percatado. Ella no estaba loca, ella quería amarlo ya. Y que él la amara con delirio de bolero. Y que se lo dijera. Y poder sustituir la casa paterna por su casa. Y poder sustituir la maldita nacionalidad. No podía ser. Ella, de todas formas, no exigiría absolutamente nada. Ella lo amaría y sin contemplaciones, es decir: con templaciones.

—Hoy, a las veinte horas treinta en la Place Saint-Michel.

—No —sin importancia.

—Sí —con toda la importancia del sí.

Y punto. Sin vacilaciones.

Él partió antes del *à table!* Habían servido una gigantesca mesa sobre la cual se hubiera podido bailar con suntuosidad toda la coreografía de *El lago de los cisnes.* A la mesa, señores y señoras. Él, raudo, se escabulló sin éxito de pasar inadvertido. Daniela languidecía de hambre, detrás de un gran susto siempre le entraban unas desaforadas ganas de comer, de masticar, de tragar como una salvaje. Tendría que ser fina, manejar delicadamente los cubiertos, controlar la avidez de pan, reprimirla, no hablar con la boca llena. Pero hablar. No exagerar las raciones. En fin, llenarse de gases y joderse el estómago. La tarde transcurrió sin mayor trascendencia. El pequeño Alberto huyó lo más pronto posible y Vassilis Vassilikos leía sentado en la terraza, morado del frío.

Ya de vuelta a la casa, su madre comentaría satisfecha hasta la venida —el orgasmo del siglo—, que su hija había apoyado con esmero su trabajo, había representado magistralmente la política exterior del país. Desparramaba orgullo finisecular. Así era como tenía que ser.

Daniela, para poder salir, recurrió a la mentira, nada del otro mundo: resultaba que poseía una entrada para el teatro (ya había buscado en el *Pa-*

riscope el título de cualquier obra famosa). Mientras que fueran ansiedades culturales no habría problemas con sus salidas nocturnas. Estaban convencidos de que tenían que darle soltura, dejarla que se moviera a sus anchas, ya en una ocasión había estado perdida tres días en rebelión por haberla obligado a guardar encierro durante un mes entero. El psicoanalista recomendó aflojar la tuerca. Eso sucedió en Londres, y la policía la había encontrado totalmente borracha en la guarida de una secta anticomunista que se hacía llamar La Mano de Fátima. Daniela prometió regresar antes de medianoche. Retomó su antiguo *look*. No comió porque no le dio la gana. Entonces debería ir acompañada del chofer. Muy bien, cualquier chofer portugués por cien francos la dejaría en la boca del metro más cercano, desentendiéndose de ella y de cualquier accidente. Para volver llamaría por teléfono y el padre la iría a buscar, sin falta, a donde ella lo ordenara. Al fin del mundo. Éxito total con la mentira.

En la Plaza Saint-Michel bebían algunos motociclistas a pesar del gélido invierno, en verano hay un batallón de ellos. Esa noche sólo estaban los más atrevidos, los duros, los que seguramente como en la canción de Edith Piaf tenían una noviecita que se llamaba Marilú. Ni sombra de limosina por los alrededores. Uno de

73

los tipos la atravesó directo con la mirada, de una patada echó a andar la moto, pasó junto a ella a toda velocidad, casi pisándole los pies, dio una vuelta en redondo, retornó y, como en las películas de Matt Dillon y Mickey Rourke, la arrancó del asfalto estrangulándole la cintura con el brazo que ella imaginó repleto de tatuajes y la tiró sin fallar el blanco en la almohadilla del asiento trasero. Nada de desequilibrarse. Fue cuestión de como halarle una pluma a una cotorra. Decididamente su carta astrológica apuntaba en estos últimos tiempos a los locos, los ladrones y los suicidas. El duro investigó si se llamaba realmente Daniela. Entonces cogió a mil por el borde del Sena, Hermes Trimegisto era un niño de teta. El de la patica caliente frenó y de otro halón de pluma de cotorra la disparó sobre una escalera, a la orilla del río. Un barquito con más ínfulas de casa que de artefacto marítimo esperaba, porque no había dudas, desde allí le había llegado su nombre en la voz del ladrón. Daniela era una curiosa incurable. Dentro era muy parecido a una sala del Louvre.

—Perdona no haber ido por ti personalmente, pero preparaba el golpe de esta noche. No será fácil. Una de las casas más vigiladas en el mismo corazón de la ciudad. Te imaginarás que el dueño es de los más codiciados.

74

—Aguanta, tú, ¿qué coño pretendes?

—Que vengas conmigo.

Daniela se desmayó. No por lo que acababa de oír. Sino porque a cierta distancia, a unos diez metros, empotrado en una antiquísima vitrina Imperio serpenteaba la imagen a todo color de un Sony Trinitron. El borde de una copa de coñac le acarició la hendidura entre la nariz y la boca.

—Por favor, apágalo, me revuelve las bilis, apágalo.

Maurice corrió hasta el televisor, lo arrancó de la toma eléctrica y cargándolo en peso lo lanzó al agua siempre pensante del río.

—¡He dicho mil veces que no me pongan esos aparatos endemoniados encima de la belleza de la antigüedad! ¿Quién se atrevió? ¿Quién fue? ¡Estoy preguntando!

De una de las paredes emanó una semiapagada voz avergonzada:

—Perdone, señor, quería ver el *match* de rugby, y como que hacía tantos meses que usted no venía...

—¡Aunque no venga nunca más! ¡Prohibido!

Dando por sentado que su cólera surtiría efecto en adelante, se dirigió a la muchacha:

—Y tú eres bastante histeriquita, no comprendo tu actitud...

—Yo tampoco, los televisores me enferman, me desmayo, no puedo con ellos...

Y, ya repuesta:

—Fíjate, Maurice, no puedo ir a un robo contigo... es loco...

—No es un robo, es una lección de buen gusto, ya verás. ¿Por qué acostumbras a negarte al principio? Comienzo a interpretar que cuando dices no en verdad es sí, ¿y cuando digas que sí será lo contrario?

—No sé, será culpa de la doble moral... ¿puedo preguntarte algo?

—Todo lo que quieras, arriesgas a que yo responda lo que desee y no la pura verdad.

—La verdad no estará nunca en cómo la dice el otro, sino en cómo uno la interpreta... Dime, ¿crees que podrás amarme con tanta fuerza como para que yo pueda eliminar la presencia terrible de la muerte, de la finitud?

—Me gustas más cuando hablas como lo que eres: una cubana, que cuando quieres parecerte a Marguerite Yourcenar. No sé si podré amarte así... La muerte siempre estará... Por eso la vida es vida... *c'est tout*.

—No importa, entonces, ahora dime, ¿crees que me dejarás amarte sin pensar nada más que en eso, en el amor, sin pasado, sin futuro? Quiero vivir contigo.

—Creo que hemos llegado, si no nos apuramos será un fracaso. —Eso respondió Maurice refiriéndose a sus planes.

Era cierto, habían navegado sobre el Sena, no mucho pero habían avanzado sin que Daniela hubiera podido darse cuenta. Él se esfumó hacia otro aposento. Daniela escuchó voces, él ultimaba los más mínimos detalles: limosina, camión, muebles, flores, avioneta, barco, todas esas palabras se repitieron hacia la saciedad, hasta la orden y una idiota e inexplicable palabra final: monarquía. ¿Qué tendría que ver el culo con la partitura musical? Y después vino de verdad la historia de saltos, carreras, limosina.

Dentro del lujoso auto él la besó ecuánimemente, su lengua acariciaba el cielo de la boca de ella haciéndole cosquillitas. Mordió tierno la barbilla, sonrió pícaro sobre los labios de ella, con los ojos abiertos continuó besándola. Daniela sintió que iba perdiendo visión. El auto se detuvo en Champs-Elysées. Frente a la puerta del burgués inmueble él volvió a besarla con los ojos bizcos. Las puertas se abrieron automáticamente, forzadas por un telecomando que él blandía incesante. Salones y salones burgueses hasta el tuétano. Al rato, detrás de ellos, aparecieron otros hombres que comenzaron a vaciar la casa, paredes, suelos, no dejaron ni un pelo del gato disecado que reposaba encima del aparador Luis XV. Daniela sólo atinaba a murmurar:

—¡Ay, mi madre, de aquí no saldremos vivos!

La casa quedó en pleno esqueleto, mejor: en un embrión, un feto. Él le dio la razón, era terriblemente riesgoso. Sí, ahora tocaba la mayor intrepidez, harían del feto un rollizo recién nacido, un auténtico niño de gran cuna, un noble. Los mismos ladrones contratados entraron nuevamente, al parecer con los mismos adornos, los cuadros iguales, idénticas esculturas, jarrones, muebles, flores olorosas, alfombras algo más desgastadas pero sin un raído o defecto... Una diferencia: el gato regresó vivito y maullando.

—¿Pero, qué locura es ésta? ¡Ah, ya entendí, te llevas los originales y pones falsos!

—Al revés, querida, todo lo que tenía este estúpido rico era absolutamente imitación, copias de Modigliani, copias de Renoir, copias de Gallé, copias de Monet, copias de copias, incluso. Estoy rediseñándole la vida. ¡Cómo se puede vivir con un gato disecado, es lo último del mal gusto!

—Pero, Maurice, él nunca lo sabrá, no se dará cuenta de que tiene los verdaderos... Además, ¿de dónde sacas los originales?

—Él no lo sabrá, pero yo sí. Me basta. En cuanto a las piezas las obtengo por poder, el poder todo lo puede... Hay un detalle, las piezas verdaderas regresan a su sitio en un mes, después de que el idiota haya vivido un mes en su compañía.

—¿Y el gato?

—Forma parte de la altura del misterio, ¿no es delicioso?

—¿Cuánto me pagarías por creerte?

—Podría amarte con toda la fuerza del universo, de manera tal que puedas borrar la constante presencia de la muerte, de la finitud. —Y rió como un demente.

En dos horas acabó la maniobra. La casa quedó aparentemente intacta a como la habían hallado, sólo que la atmósfera se había transformado. Los olores se habían hecho sumamente lentos, existía un espesor, la antigüedad en su real dimensión, los colores cambiaron su pulcritud por fineza. De cada escondrijo fluía aristocracia en el sentido griego de la palabra. Daniela fingió por unos segundos ser una princesa encantada, o un personaje shakesperiano. Sobre el techo esperaba la avioneta. Se encasquetaron los antifaces y emprendieron vuelo. Vestidos como estaban de negro infernal. Como una autómata de museo ella preguntó:

—¿Cómo haces con la guardia de seguridad?

—No les sucede nada malo. Mientras tanto duermen benéficamente. Pero no soy yo quien se ocupa de esas nimiedades.

—¿Quién eres? ¿Por qué haces estas cosas? Debes estar muy aburrido y ser alguien muy importante.

—Soy el ladrón más importante que haya existido sobre el planeta. El siglo me condujo a estas barbaridades, aunque bien intencionadas. Mi estirpe es la culpable.

Ella tal vez estaba soñando. ¿Dónde estarían sus amigos? Jugarían al póquer o al monopolio en el calor habanero. Últimamente todo el mundo se aburría, con tanto que hacer y la gente optaba por aburrirse. Ella era la primera aburrida. La más estática.

Volaron por segunda vez sobre el Arco de Triunfo, la humanidad los señalaba, unos sonrientes, otros aterrorizados. Cuando llegaron a la vieja casona en las afueras allí los esperaba otra limosina. La avioneta fue velozmente disimulada. Daniela esperó ansiosa ser conducida al lecho de violetas. Pero él la obligó a entrar en el auto. Necesitaba meditar a solas, reflexionar sobre su árbol genealógico. Aquello le hizo mucha gracia a Daniela, aferrada a su cuello se lo comió a besos, enseguida se acomodó en el interior del automóvil, y éste partió ligero como un tapiz volador.

A las doce en punto llegó a la sede hogareña. Los embajadores paternales soñaban con la próxima misión en un país un poco mejor soleado, tal vez España, la madre soñaba con una recepción en su casa a donde Sara Montiel fuera a cantar el repertorio de *La reina del Chantecler*. Daniela padecía de insomnio, eructó con el estómago vacío, mal síntoma, eructó metálicamente como si dentro de ella se oxidara una cuchillita de afeitar Astra, la Unión Soviética no existía y todavía en Cuba vendían por la libreta esas cuchillas de afeitar soviéticas, que en lugar de afeitar mordían, tocaba una por hombre, y los cabezas de familia se pasaban el tiempo preguntándose frente al espejo, sangrantes: ¿*astra* cuándo? Daniela recordó que siempre había deseado ser aviadora. Fue hasta el bar, a tientas lo encontró, porque los bares siempre poseen idéntica ubicación en las casas de los diplomáticos: junto a la chimenea. Se empinó una botella de Cutty Sark... bienvenida a bordo, al borde del castigo. Bebió hasta la última gota del whisky y en el sofá dorado se tumbó como muerta.

A la mañana estaba en su cama. Como era habitual, su padre la había trasladado antes de que la madre la descubriera en tal estado. Daniela despertó decididamente por causa del teléfono. El timbre de la Reina Regente era inconfundible, no paraba nunca:

—¿Aló?

—¡Aló ni aló, ¿acabarás de despertarte?, no te embulles, en septiembre empieza el curso y prepárate desde ahora! ¿Por qué no vienes a darnos una manito en la oficina?

—Porque voy a los museos. Y porque yo no trabajo voluntario, me tienen que pagar, y ustedes no pagan. Pienso también pasar por la biblioteca, ¿no quieres que me prepare para la universidad?

—No queda museo ni biblioteca en el mundo que no hayas visitado no sé cuántas veces.

—¿Te molesta que me cultive? ¿Y mi padre?

—Muy preocupado con eso del espionaje, el baroncito malva ése, y contigo está bravo. Me mandó a llamarte porque almorzamos fuera toda esta semana y llegaremos tarde, hay mucho que hacer aquí.

—¿Sí? ¿Qué, por ejemplo?

—¿Ahora? Pues, ejem, recorto noticias importantes en la prensa.

—Ah, quieres decir que continúas jugando a las cuquitas... No se preocupen por mí. Besa a mi padre de mi parte.

—¡Malcriada! ¿Y para mí, no hay un beso?

—Muá. El de este año, no lo desperdicies.

· · ·

Al fin sola. Se bañó, se vistió, y sin desayunar salió a la calle, corrió por túneles, puentes y avenidas hasta el apartamento de Marcela. Estar sola en un apartamento era fascinante, la hacía sentirse menos subdesarrollada, y este sitio era un pequeño paraíso: Sala y comedor con cojines regados por doquier, muebles suecos baratos. Tres cuartos, uno de invitados, el de la dueña, y en el otro Marcela había construido un laboratorio de revelado. Cocina espaciosa y ordenada. Dos baños, pequeñísimos balconcito y ventanitas góticas con tiestos florecidos, piso de madera. Marcela y ella detestaban el tapizado. Fotos y afiches por todas partes. Encima de un pedestal se desteñía una banderita cubana.

Por debajo de la puerta la guardiana deslizó una postal: «Querida amiga, antes de irme eché para ti el corazón al correo, recuerda que estaré contigo muy pronto. ¿Ya cagaste el diamante? Besos, Marcela». Al mismo tiempo sonó el teléfono y se disparó el respondedor, primero en francés, enseguida en español: «Está usted en el número de Marcela Roch. Me ausenté por unos días. Por favor, deje nombre, número de teléfono y mensaje después de la señal sonora, piiii».

83

—Daniela, es Maurice, sé que estás ahí. Paso a verte.

La muchacha se lanzó a coger el teléfono, pero él ya había salido de la cabina telefónica situada a unos cuantos metros del edificio. Compró un ramo de rosas amarillas y fue derecho al muelle de Grands-Augustins. Llovía y los *bouquinistes* del Sena cerraron sus cofres, así y todo afiches de Mucha y viejos mapas de París no se salvaron de los goterones. Ella tuvo el escaso tiempo de desplazarse del teléfono a la ventanilla en forma medieval. Le dio tremendo gorrión ver llover sobre el Sena, no era igual que cuando llovía sobre el plateado Malecón. La campanilla de la puerta alertó desesperadamente. Él, deformado por culpa del ojo mágico, sonreía en ángulo ancho. Ella abrió y él se acuclilló sobre una rodilla con las rosas sobre el pecho, en posición de caballero enamorado. Risas. Dentro, él ni siquiera estudió el recinto, fingiendo familiaridad colocó las rosas en el primer jarrón que halló a su paso. Daniela tomó el jarrón y en la cocina preparó el agua con una aspirina, cortó transversales los tallos con un cuchillo de pan de campaña de los que utilizaba Jean Gabin en las películas y repartió esmeradamente las flores dentro del recipiente florentino, y por ende anacrónico.

Primero le acarició la mejilla suavemente con el dorso de la mano. Las caricias la asustaban, ella tenía los ojos aguados. Apretada contra el pecho masculino acumuló saliva, tenía pena tragar y hacer ruido con la garganta. Él echó las caderas hacia delante, de manera que tenía aquello tan parado que hubiera podido, de empinarse un poquito, tocar el timbre de la puerta con la cabeza del rabo. Él la desnudó y se desnudó. Cuatro pezones erizados, dos pequeños y rosados asomaron entre el bosquecillo de rubiancos pelos frente a otros dos lechosos y puntiagudos desde colinas nacaradas. Acostados, ella abrió los labios y la saliva acopiada chorreó por sobre el dolmen fálico, él besó una y otra vez la pila bautismal, cosquilleó con su lengua como si hubiera querido atrapar otra lengua de un gato mientras bostezaba. Observó, abriendo con ambas manos la vasija venusiana en París, en La Habana es bollo, papaya, crica, etc., y después lo abarcó con toda la boca. En las amígdalas hembrunas latía la cabeza del ave, la morronga, vaya, un cinturón de creyón labial aprisionó los huevos, los cojones hablando en plata, del pájaro palpitante. Ella se vino y él contuvo lo suyo desafiante. En la barbilla masculina ella saboreó los efluvios de su marisco. El ave sucumbió dentro del nido y las uñas se clavaron en las musculosas nalgas. Rayos fluorescentes invadieron la habitación cuando el pico escupió el diamante.

Vivir el peligro. Vivir el amor. Los famosos robos nocturnos continuaron, desvalijaban casas inauténticas y redecoraban con originales. Al mes justo hacían lo contrario. Daniela aprendía cada vez más de estilos, hallaba firmas magistrales de una sola ojeada. Una noche arrancaron una a una las columnas de Buren y las mudaron a la Explanada de los Inválidos, antes de que amaneciera ya las habían devuelto a su respectivo lugar. En otra ocasión cambiaron por piezas totalmente verdaderas las falsas del metro Varennes, el Balzac del túnel lo introdujeron en el jardín del Museo Rodin y el del jardín fue a parar al metro. Los japoneses siguieron haciendo fotos como si malanga, su problema era que en el jardín estuviera un Balzac, verdadero o falso daba igual, era únicamente para las cámaras, para atestiguar que habían estado frente a un Rodin en París.

Daniela idealizó hasta el éxtasis el amor frenético de Camille Claudel por el amante escultor. El barón Mauve era cada día más famoso e intrigante, los medios masivos de comunicación se atacaron de los nervios con los misteriosos revoloteos sobre la ciudad. Sin embargo de los relámpagos parisinos y del platonismo de las putas en Saint-Denis nadie hizo mucho eco, fueron sólo insignificantes reseñas al margen.

Ella confundía el amor con el peligro. Él contestaba que era lo mismo, un campo de batalla. Mirarse a los ojos era como disparar un misil. Ella no estaba de acuerdo, el amor debería ser eternamente pacífico. ¿Y si la eternidad fuera sólo este minuto en que ella contempla las manos perfectas y adorables —tal vez demasiado— de este hombre? Ella se había fijado en que las historias de amor que había leído en las novelas duraban sólo el tiempo de la lectura, al principio devoraba los libros para deleitarse con los finales, en ese momento prefería detenerse un amanecer entero en una frase, así el final era siempre más inesperado.

Transcurrió más de un mes. Vivían en el apartamento de Marcela, o en el barco-mosca de él, o en la frialdad crepuscular del jardín de violetas, en los camiones, en las limosinas, en las casas de las víctimas adineradas. Marcela se había complicado con una exposición de fotos en Toulouse, se quedaría quince días más, envió cómicas postales, fotos, y nostalgias más allá de la luz, nostalgias expresamente isleñas. Los Señores Emba-paternales no cabían dentro de ellos de desmesurada satisfacción por lo aplicada que se les volvía su niña, no salía de museos, cines, teatros, vestía correctamente. Echaban largas parrafadas telefónicas sobre las amplias posibilidades del diseño del mueble vienés, de la alta costura francesa, de palacios italianos, vinos, queso, filosofía alemana. Ya podían mostrarla con toda confianza en las recepciones, había adquirido una fineza espectacular, a prueba de balas.

Ella perdió el sueño una vez más, mucho más el apetito. Vivía del amor, del aire. Conocía la importancia de besar a su amado en el puente de Alejandro Tercero, transeúntes internacionales como testigos. Encandilada exhibía ese sentimiento tan generoso que era la ternura. Muchos se equivocaban y trastocaban la ternura por la pasión, por el deseo, por la lástima. La ternura era más, era tener a ese hombre acariciándola y sentir un erizamiento en el gran simpático, miedo a que se desvaneciera y al mismo tiempo valentía ante la duda y la capacidad de salvación. En cambio, disfrutaba de todo eso y no podía quitársele de la cabeza aquella isla, ese país tan mujer, tan sola.

—Te amo —susurró después de meditar largamente.

—Ojalá pueda yo amarte como tú me amas, princesa.

En París no se decía «mi chinita, mi mamita rica», sino princesa, tesoro, joyita, y otras edulcoradas formas de la abundancia. Tanta sinceridad le arrancó lágrimas y jeremiqueos a ella.

—No quiero engañarte, no se puede estar seguro del amor en un mes y medio.

—¿Algún día me querrás?

—Ahora me gustas —volvió a esquivar.

—No voy a exigirte nada, pero no sé por qué coño tengo esta fijación contigo. Mejor no pregunto más en el futuro.

—Es preferible, no haces más que adelantar la tragedia. Al inicio sólo querías vivir la aventura. ¡Ah, las mujeres siempre profetizando el más allá!

—Somos un ejército de Sibilas.

Aquella noche no pudieron encontrarse. Él tenía un urgente trabajo que cumplir, nada que tuviera que ver con aventuras y placeres. Más bien eran abrumadoras revisiones, firmas y papeleos. Ella debía acompañar a sus progenitores a celebrar la fecha nacional de algún país. En mes y medio sólo había asistido a dos almuerzos, y ya la diplomática madre comenzaba a enervarse. Para la madre la cultura era sobre todo hacer vida social. Marcela por otra parte llegaría al día siguiente.

Muy temprano el padre canturreando le llevó los periódicos a la cama, estaba hiperaliviado porque el barón malva se había acabado, extinguido, fulminado. Habían encontrado una nota excesivamente indescifrable pintada a *spray* encima del Arco de Triunfo:

«Princesa: por mi parte toda esta historia debe cesar, tengo que partir. Sé que tú no la terminarás, tu aventura terminará cuando mueras. No mueras; sé fuerte con tu verdad. Te besa. El barón Mauve».

El padre enfatizó en que él tenía una opinión, ese mensaje para él poseía una doble lectura romántica, el amor del personaje misterioso por la ciudad de París, los vuelos no eran más que homenajes de un enamorado de París, y ahora se despedía de ella por todo lo alto. En estos países hay neuróticos así, de todas formas tendría que informarlo por fax a su ministerio. Daniela no oía.

Ella no oyó más. Los destripadores continuaron en las azoteas despedazando muñecas. Su pandilla aprendió a tirar dados o a vencer al contrario en el ajedrez. La amiga veraniega le escribió una carta donde le anunciaba que ya le había llegado la salida del país. El novio llamó desde larga distancia, robándose una línea en dólares del hotel español que se había inaugurado en la isla.

No tenía sentido mantener esa relación, sin tocarse en tanto tiempo, sin saber cómo piensan uno del otro. Tenía toda la razón.

Sin darse cuenta había abandonado la casa y estaba en el metro. Ella comprendió que era muy cómodo desde su posición exigir fidelidad. En una ocasión conoció a una mujer que padecía la enfermedad de la exigencia y se quedó sola, desamparada, se llamaba Femelle. Ella no quiere enfermarse. A ella no le importaba que la señalaran con el dedo por haberse atrevido, por aventurera, por fuera de lo normal. Conoció también a una viuda joven, nadie se conformó con el sufrimiento de la muerte, cada vez le exigían más llanto, más dolor, convertida en esquizofrénica le dio por reírse de todo y bailar todas las músicas, pero su dolor, el de ella, seguía allí, en lo más hondo. Daniela no escuchaba salvo las historias de los otros, no quería saber nada de ella misma. El enemigo acechaba, era el único sentido de la vida de sus padres. Le contaron que el enemigo había querido comprar a su amigo pianista por medio millón de dólares. Otro amigo había preferido la guerra de Angola y el fusilamiento. Sufrió de un segundo vahído, el metro se encimaba. Ella estaba al filo del suicidio. Él no volverá. *Finie la tendresse*. Ella sudaba, ese mes no habían llegado sus reglas. El tren estaba ahí, ahí mismito. Escándalo diplomático si se lanzaba. Marcela se quedaría sin país, sin asideros. ¿Y si está embarazada? Dos pasitos cortos hacia atrás. A media mañana el metro estaba vacío. Ella entró en el vagón sin oírse a sí misma, sin saber que estaba hablando en alta voz.

No había recados en el respondedor de la amiga. Las rosas podridas en el jarrón delataban el último encuentro. Dos días atrás él no pensaba marcharse, o tal vez sí. Quizá siempre lo pensó. Daniela quería desmayarse como hacían las damas cuando sus caballeros partían a la guerra en siglos anteriores. Se le ocurrió un pensamiento cursi: su destino estaba marcado por la muerte y las despedidas. Y según Novalis las despedidas eran el «primer pronunciamiento de la muerte». Ella pensaba demasiado, por eso era tan fracaso para todo, necesitaba desmayarse, probar su amor con un finisecular desmayo. Encendió el televisor, ¡Maurice estaba dentro del aparato! Cáustico sonreía a los flashazos de los fotógrafos... Ella no obtuvo la mínima sensación de mareo... Maurice, epigramático, miró fijo, no a ella, sino a la cámara... No se cayó, Daniela no se cayó redonda en el piso... El televisor habló, era una tecnológica fiera parlanchina: «El heredero del trono... el duque... (lista de nombres y títulos) partió esta madrugada hacia Cuba, será una corta estancia...».

El padre le había pronosticado, sin embargo, que la televisión siempre mentía. Su Majestad era seguido por un séquito, o cortejo, ¿cómo decir en estos casos? Él se hacía minúsculo, enanito, como el pequeño príncipe, dentro de la pantalla, sin su flor, en un planeta absurdo, aturdido, esquizoide.

Daniela conmocionada se apoderó de una botella de whisky y entró en el baño. Demolida, pujó encarranchada en el lavamanos. Estudiaría el fenómeno de muy cerca: introdujo el dedo del medio en el sexo y pujó. El primer coágulo parecía un bistec de hígado, no podría nunca más probar las vísceras. El segundo era rojo vitral y ella tuvo la sensación de que respiraba. El tercero dolió y ardió como ninguno, los senos le pesaban. El tercer coágulo renunciaba a salir, le estiraba el útero, finalmente asomó, sereno y trabado provocando aún más agudo dolor. Se apretó el bajo vientre, otro pujo golpeándose las rodillas con los nudillos. Empapada en sudor escarbó en su interior con una agujeta de tejer. En el mármol esmaltado nadó el esbozo de un niño, sacrificado, con un diamante en la garganta.

La cerradura giró. Manojo de llaves lanzado sobre la mesa. Chirridos de las rueditas de la maleta Louis Vuitton de Marcela. Tacones de aquí para allá. La voz y su nombre en ella. Golpecitos en la puerta del baño.

—Daniela, ¿estás ahí? ¿Te sientes mal?

Ella no quería pensar en la hemorragia. Pensar con frecuencia en la sangre la convertía en asesina potencial. Respondió que estaba ahí, que tomaría un baño. Nadie podía enterarse. Sin mirar abrió la pila. Los pellejos infantiles se deshicieron en el tragante. El agua hirviente de la ducha no hacía bien, tenía fiebre altísima. Algún día Marcela le haría una foto en Viñales, sin embargo desde el fondo de la bañera, sumergido en el agua bullente, Petronio la invitaba al trágico final. Tenía altísima fiebre, volvió a decirse. Deliró. Arriesgar como en una película era bello y profundo. En su mente escribió un poema a una paloma blanca. Obbatalá estaba en ella, la paloma se llamaba Mercedes. Pensó en todos aquellos niños ahogados en el remolcador hundido en el mar. Esta vez ella se moría, y si revivía no volvería jamás con sus padres.

Zoé Valdés
La Habana - París 1994-1995

6